MUJER
REPOSICIÓNATE

REVELA TU DISEÑO Y
NO DEJES QUE NADA
TE ROBE LA ESENCIA...

MUJER
REPOSICIÓNATE

YESENIA THEN

MUJER REPOCIÓNATE
© Yesenia Then, 2018
Tel. 829.731.4205 y 809.508.7788
Email: www.yeseniathen.org

ISBN: 978-9945-8947-5-2
Diagramación: Editora Graphic Colonial
Diseño de portada: Omar Medina
omarmedinafilms@gmail.com • C. 829-442-5386
Editora: Editora Graphic Colonial
Impresión: Editora Graphic Colonial
T. 809-793-9590
graphic_colonial@yahoo.com

Primera edición
2,000 ejemplares, Año 2018
Impreso en Santo Domingo, D. N.
República Dominicana.
....
....

Dedicatoria

A todas las mujeres que en vez de dejarse matar por sus opresores, deciden construir castillos con las piedras que estos les lanzan.

Agradecimientos

A mi más grande Amor, por Quien yo vivo y existo; mi Dueño Señor y Salvador Jesucristo. Quien además de darle sentido a mi vida asignándole un propósito, me da la gracia, la fuerza y el coraje para poder conquistarlo.

A mis hijos, mis dos tesoros Maiky y Andy, por su apoyo, acompañamiento y la gran valentía mostrada en cada uno de los procesos que nos ha tocado enfrentar.

A mi invaluable equipo de trabajo, que sin escatimar esfuerzos con tanta pasión, entrega y esmero se dedica a la realización de cada proyecto que el Señor nos indica llevar a cabo.

A mi asistente personal Ana Karen Morillo, por su arduo e incansable trabajo, por su fidelidad de siempre y por ser un soporte continuo no solo en mi ministerio, sino en cada aspecto de mi vida.

Índice

Prólogo

$\mathcal{H}$ay personas que tienen desde sus inicios una plataforma que le sostiene, y es glorioso ver como las mismas honran esta bienaventuranza. Sin embargo, hay mayor Gloria al Señor cuando todo inicia amparado solamente en una sustancia llamada FE. Este último es el caso de la autora de esta joya bíblica.

En su cuarto hijo literario, MUJER REPOSICIÓNATE. La pastora Then, de forma magistral nos deja ver la esencia de Dios en algunas mujeres, que por su rol bíblico, han sido cuestionadas por tantos predicadores y estudiosos de Las Sagradas Escrituras. Dejando claramente establecido, que aun en el peor de los casos siempre hay un común denominador llamado: PROPÓSITO DE DIOS.

Debo confesar que MUJER REPOSICIÓNATE es una obra que con mucha satisfacción recomiendo y considero que todos debemos leer, en especial las mujeres, ya que es impresionante como cada página está llena de revelaciones y tesoros escondidos a través de la vida de mujeres, que siendo sencillas para su entorno lograron consolidar grandes propósitos:

Que decir de una Eva, la cual estamos acostumbrados solo a mencionar como la causante del primer acto de desobediencia de la humanidad y en esta obra literaria la podemos ver como la mujer que pese a su desobediencia se levantó y fundamentó su vida en la constante búsqueda de una promesa dada por Dios. La cual la inspiraba cada día a «**SEGUIR PRODUCIENDO**».

Dejar de ver a Lea como la esposa no deseada, despreciada y olvidada por Jacob su esposo, la cual pasa gran parte de su vida tratando de ser tomada en cuenta por sus propias fuerzas y verla ahora enfocarse en alabar aquel de quien «proviene su bendición, cuyo nombre es Jehová».

Impresionante es percibir a una mujer nómada, sin trayectoria como Jael, hacer uso de «lo que tenía en su casa, como arma de guerra para derrotar al enemigo, atacándolo directamente en la cabeza».

Una Rut que solo la veíamos como la nuera que al salir de Moab brilla por su fidelidad a Noemí, ahora enfocarla como un gran referente de cerrar puertas funestas del pasado y extenderse hacia un glorioso porvenir. Que no necesitamos estar en nuestro territorio o apoyarnos en un linaje inexistente, sino dar paso a lo que Dios quiere hacer con nosotros. Ver a la mujer Sunamita no perder su enfoque en medio de la crisis. O a Betsabé, asumiendo la voluntad de Dios enfocada en su próximo nivel, y cierra con broche de oro tan extraordinaria obra haciendo una majestuosa, centrada, objetiva y bíblica defensa del ministerio de la mujer, que mejor no podía ser.

En fin, son tantos ejemplos que nos deja la autora para nuestra reflexión, que nos llevan a entender que no importa si eres una simple mujer condenada por tu falta, o una despreciada extranjera en una ciudad sin aparente oportunidad de desarrollo, o quizás una que solo se halle envuelta en la rutina de trabajo; **NADA DE ESTO ES SUFICIENTE PARA QUE PIERDAS TU ESENCIA**, Dios NUNCA se olvidará de ti. Él no te creó para dejarte olvidada a mitad del camino, ahora es cuando otro nivel de tu historia realmente comienza, no menosprecies tu presente e inicia ahora mismo el recorrido por estas páginas que te llevarán a encontrar TESOROS EN EL ABISMO.

¡¡ADELANTE!! «MUJER REPOSICIÓNATE».

Obispo Vladimir Moore

Introducción

$\mathcal{U}$na de las leyes de la Hermenéutica, que es el arte de interpretar los textos, especialmente los relacionados a las sagradas escrituras, establece que la primera vez que algo se menciona en la Biblia, tal mención marca el curso de acción de ese algo. Partiendo de esto, resulta interesante considerar como la primera vez que la Biblia menciona simultáneamente a la mujer y a la serpiente que simboliza a Satanás, lo hace estableciendo entre ambas criaturas, una eterna enemistad (Ver Génesis 3:15). Es por esto que desde tiempos antiguos, las mujeres han sido «blanco de ataque» del adversario, quien continuamente trabaja para que ellas sean víctimas de opresión, rechazos, maltratos y abusos. Pero es también por esto que Satanás ha tenido pérdidas demoledoras cuando mujeres como: María W. Etter, Kathryn J. Kuhlman, Aimee McPherson y muchas más, han puesto como prioridad la conquista del destino para el que fueron diseñadas, y han aceptado el desafío de revelar aquello para lo que fueron creadas.

Pero gran parte de estas mujeres ya dieron cumplimiento a la asignación específica que debían llevar a cabo y su misión en la Tierra ha culminado. Sin embargo, los planes de Dios siguen activos; es por esto que para cada tiempo y lugar específico, Él ha establecido el nacimiento de personas previamente señaladas para llevar a cabo sus planes.

De hecho, la persona que ahora se encuentra leyendo estas líneas es una de ellas, y Satanás lo sabe; por esto es que te ataca como lo hace, usando como títeres de su propiedad a todo en quien encuentra acceso, siendo sus instrumentos predilectos las personas más cercanas a ti, porque conoce la fragilidad emocional que generalmente tiene el género femenino y sabe el efecto que la traición, el rechazo o cualquier otro tipo de maltrato, le puede producir a su enemiga eterna.

Otra artimaña muy usada por el adversario en contra del género, es hacer que las mujeres se consideren víctimas carentes de capacidad para reponerse de cualquier situación que les haya acontecido en su pasado; por eso no solo usa elementos externos para atacarlas, sino que también envía influencias directas a sus propias emociones para oprimirlas y hacer que se sientan estancadas, amargadas, deprimidas y rechazadas. Llevándoles a creer que nunca habrá cambio en la situación que enfrentan y que la única salida que tienen, es huir o sencillamente resignarse a ella; cuando esto ciertamente no representa su destino final, sino solo un tiempo y una circunstancia específica que Dios les está permitiendo pasar, con el fin de enseñarles algo que necesitarán saber cuándo lleguen al próximo nivel en el que serán colocadas.

Pero, ¿Cuál es la causa de tanta furia? La razón es simple: Satanás conoce lo que sus enemigas portan y le teme al hecho de solo pensar lo que podría acontecer, si la mujer que ahora se encuentra leyendo este libro, en vez de reaccionar como su adversario quiere, responde como su Creador espera que ella lo haga ante los diversos desafíos y embates que continuamente debe enfrentar.

Sin embargo, es posible que pienses, pero ¿Cuál es el modo en que debo responder? y ¿Cuál es la forma en que debo enfrentar los diversos ataques que el enemigo me lanza? Precisamente para ayudarte a entenderlo, hemos obedecido al mandato que nos dio el Señor de escribir este libro, por el que hemos orado para que te sirva como una herramienta de fortaleza y guía, mientras avanzas hacia la completa manifestación del diseño con el que fuiste creada y das cumplimiento a la asignación para la que fuiste señalada.

«*Porque el anhelo ardiente de la creación es el aguardar la manifestación de los hijos de Dios*». Romanos 8:19 (RVR 1960).

¿Estás lista?... **Entonces, ¡iniciemos!**

Eva

Conoce tu esencia y mantente produciendo

Eva fue la primera mujer creada por Dios, y es mucho lo que podemos apreciar de la vida de ella. Su creación nos revela que todo lo que el Señor hace, lo hace con sentido de propósito para que cumpla con un fin específico, y no para que sólo ocupe un lugar en el espacio, tal como lo confirma el siguiente pasaje:

«Y dijo Dios: No es bueno que el hombre esté solo, por tanto, haré ayuda idónea para él». Génesis 2:18 (RVR 1960).

Partiendo de esto, notamos que antes de crear a la mujer, Dios observó que había una necesidad: **«No es bueno que el hombre esté solo»** y para que dicha necesidad fuera suplida elaboró una respuesta: **«Haré ayuda idónea para él.»**

O sea, que según el plan de Dios la razón de la existencia de Eva, fue que sirviera de complemento y apoyo al hombre que Él había creado, pero por ser ella la primera mujer creada, no solo podemos considerarla como un ser individual, sino como la portadora de la esencia que contendría todo el resto del género femenino.

De modo, que así como Adán es el primer hombre creado y partiendo de él como primer diseño se multiplica todo el género masculino, la creación de Eva trae consigo el diseño «base» del género femenino, que sería impregnado en todas las demás mujeres que nacerían después de ella.

Ahora bien, Dios en su omnisapiencia hizo a cada criatura con un diseño único y específico para que pueda dar cumplimiento cabal a la asignacion que le fue otorgada. Por esto al hablar del diseño de la mujer, nos referimos a la forma que le fue dada para cumplir efectivamente con la asignación para la cual fue creada. Partiendo de esto, observemos lo siguiente:

⬥ *Y dijo Dios:* **No es bueno que el hombre esté solo...** (apreciación de la necesidad).

⬥ *Por tanto,* **haré ayuda idónea para él...** (descripción de la asignación).

Vayamos un poco más profundo en cuanto a los términos: «haré» y «ayuda idónea». Según el Hebreo (idioma en el que originalmente fue escrito este texto) el término «haré» es «asa» y se traduce como: Designar, destinar, dictar y edificar; mientras que la palabra «ayuda» es «ezer» y se traduce como: «Poder o fuerza que puede salvar». Término que aparece 21 veces en el Antiguo Testamento y se usa generalmente para referirse a Dios, cuando se encuentra ocupado en actividades de socorro, alivio, consuelo o redención para su pueblo, como en el caso de los siguientes pasajes: Éxodo 18:4, Deuteronomio 33:7, Salmos 33:20, entre otros.

> Dios hizo a cada criatura con un diseño único y específico para que pueda dar cumplimiento cabal a la asignacion que le fue otorgada.

Al considerar esto, podemos confirmar nueva vez que la intención de Dios al crear a Eva, fue que sirviera de ayuda y soporte para Adán, pero el plan de Satanás fue que sirviera de tropiezo y canal de muerte. Ya que desde el principio de los tiempos nuestro adversario ha tenido el propósito de robarle la esencia a lo que Dios crea, y la mujer fue la primera víctima de esto.

En otro orden, no podemos obviar el hecho de que en el principio la relación que el hombre tenía con Dios, era tan estrecha que Satanás no halló una brecha para introducirse directamente a través de él, sino que para poder acercarse usó como puente a lo más cercano que éste tenía, que era la mujer. Algo que en la actualidad, generalmente resulta ser a la inversa; Satanás está usando como puente a muchos hombres para tratar de afectar a mujeres que debido a su nivel de conexión con el Creador, no pueden ser accesadas por las tinieblas fácilmente.

Pero... ¿Por qué estaba el árbol de la ciencia del bien y del mal en el huerto, si Dios sabía que poniéndolo ahí su creación le podía desobedecer?

La respuesta es esta: Porque tener la oportunidad de desobedecer y no hacerlo, es lo que demuestra que tan genuina es nuestra obediencia. En otras palabras, no podemos decir que hemos obedecido a Dios auténticamente, hasta que teniendo la oportunidad de desobedecerlo, hemos decidido no hacerlo.

El Señor siempre permitirá que delante de nosotros haya algo que ponga a prueba nuestra obediencia, y esto mismo es lo que estratégicamente también utiliza el adversario para hacernos caer en desobediencia, quitarnos nuestra posición y llevarnos a la destrucción. Lo que queda plenamente expuesto en el modo como engañó a Eva.

Ahora bien, al considerar los detalles de la sutil trampa usada por el enemigo para engañar a la mujer, vemos que contuvo las mismas tácticas que él utiliza para engañarnos a nosotros también. Observemos:

> Tener la oportunidad de desobedecer y no hacerlo, es lo que demuestra que tan genuina es nuestra obediencia.

IDENTIFICÓ UN DESEO: Los deseos que el enemigo identifica dentro de nosotros pueden ser diversos, como el deseo de tener algo o de estar con alguien; el de llevar a cabo algun acto de venganza o el de manipular a otros; incluso puede tratarse de algun deseo legítimo, como el de recibir algo que se supone que se nos este dando, pero que por alguna razón no lo estamos recibiendo.

La tentación empieza cuando Satanás te sugiere con un pensamiento, que cedas y lleves a la acción un deseo malo o que cumplas un deseo legítimo de la manera o en el tiempo equivocado, porque según sus sugerencias: «Te lo mereces, no te pasará nada, te sentirás mejor, debes tenerlo ahora, tu no serás el único en fallarle al Señor».

Así que la tentación no empieza fuera de nosotros, sino dentro de nosotros.

«Porque de la mente salen los malos pensamientos, asesinatos, adulterios, pecados sexuales, robos, calumnias e insultos». Mateo. 15:19 (PDT).

«Pero cada uno es tentado cuando es arrastrado y seducido por su propia pasión». Santiago 1:14 (RVR 2015).

USÓ UN MEDIO: Del mismo modo que Dios utiliza personas y cosas para bendecirnos, Satanás utiliza las mismas herramientas para destruirnos; él no se nos muestra tal cual es, sino que oculta su verdadera identidad detrás de aquello en lo que ha hallado las cualidades indicadas para hacerlo, lo que se hace evidente en el pasaje siguiente:

«Y la serpiente era más astuta *que cualquiera de los animales del campo que el Señor Dios había hecho».* Génesis. 3:1 (LBLA).

Si buscamos en el diccionario la palabra «astucia», hallamos que se define como: Habilidad para engañar o para evitar un engaño. Así que no es casual que el puente utilizado por el adversario para llegar a la mujer haya sido la serpiente, porque no hay nada que sirva más al diablo y a sus intereses, que una astucia no consagrada.

De igual modo, los medios utilizados por el enemigo para llegar a ti no son casuales, sino sutilmente seleccionados para aumentar la potencialidad del ataque que se le haya permitido lanzarte, algo que no podemos dejar de resaltar, porque Satanás no puede hacer nada si no cuenta con la autorización del Señor para hacerlo.

Ahora bien, Dios está fuera del alcance del mal y no insta a nadie a caer en él, pero si permite que seamos tentados según la capacidad que nos ha dado, para poder rechazar las ofertas que el adversario nos pone delante. En otras palabras, el Señor jamás permitirá que una tentacion mayor a nuestra capacidad de soporte, llegue a nosotros.

«Cuando alguno se sienta tentado a hacer lo malo, no piense que es tentado por Dios, porque Dios ni siente la tentación de hacer lo malo, ni tienta a nadie para que lo haga». Santiago 1:13 (DHH).

«Ustedes no han sufrido ninguna tentación que no sea común al género humano. Pero Dios es fiel, **y no permitirá que ustedes sean tentados más allá de lo que puedan aguantar.** *Más bien, cuando llegue la tentación, él*

> Todo el que espera evitar las consecuencias de comer del «fruto prohibido» no debería acercarse al «árbol» que lo produce.

les dará también una salida a fin de que puedan resistir». 1 Corintios 10:13 (NVI).

ESPERÓ QUE ESTUVIERA SOLA: Hay muchas tentaciones a las que la soledad presta gran ventaja, porque muchos al igual que Eva, en sus momentos de soledad tienden a considerar la propuesta del tentador de acercarse a lo que para ellos es «un árbol prohibido». Por esta causa nuestros momentos de soledad deben ser usados para fortalecer y afianzar nuestra comunión con el Señor, y no para permitir que nuestros pensamientos y deseos no santificados, tomen la rienda de ese tiempo. Porque todo el que espera evitar las consecuencias de comer del «fruto prohibido» no debería acercarse al «árbol» que lo produce, tal como nos lo exhorta la Palabra de Dios.

«Huye de cualquier cosa que te dé malos pensamientos... Pero apégate a cualquier cosa que te haga querer hacer lo correcto». 2 Tim 2:22 (NTV).

«Concéntrense en todo lo que es verdadero, todo lo honorable, todo lo justo, todo lo puro, todo lo bello y todo lo admi-

rable. Piensen en cosas excelentes y dignas de alabanza». Filipenses 4:8 (NTV).

Desviar nuestra atención de lo que nos insta a hacer lo incorrecto, es una de las formas más efectivas de vencer la tentación.

BUSCÓ UNA CONVERSACIÓN DE INTERÉS PARA ELLA: Es de sabios, no solo observar el fruto de un problema sino también considerar la raíz del mismo, y en este cuadro queda claro que la conversación sostenida entre la mujer y la serpiente, trajo como consecuencia el sutil arrastre de la mujer por parte de Satanás, hasta el terreno que él quería llevarle.

> Al terminarse las reservas de la sabia, por más que el árbol quiera resistirse, su sequedad se hará evidente.

La Biblia llama a nuestro adversario «padre de toda mentira» porque es incapaz de hablar verdad. Por eso siempre que le prestes oído, te envolverá con el fin de hacerte dudar de lo que Dios ha dicho sobre el pecado, llevándote a considerar cosas como estas: ¿Será verdad que esto es malo? O ¿Es que acaso el Señor no quiere que yo sea feliz?

Mientras que en otras ocasiones, sus argumentos serán estos: «Disfruta el momento, porque Dios te comprenderá, Él sabe que eres humano, tu no serás el primero en fallarle».

Toda coartada del enemigo, siempre contendrá una falsedad o simplemente una verdad a medias, tal como podemos apreciar en el siguiente texto:

> El Señor jamás permitirá que una tentacion mayor a nuestra capacidad de soporte, llegue a nosotros.

«Un día, la serpiente le dijo a la mujer: —¿Así que Dios les dijo que no comieran de ningún árbol del jardín? La mujer le contestó: —¡Sí podemos comer de cualquier árbol del jardín! Lo que Dios nos dijo fue: «En medio del jardín hay un árbol, que no deben ni tocarlo. Tampoco vayan a comer de su fruto, pues si lo hacen morirán». Pero la serpiente insistió: —Eso es mentira. No morirán». Génesis 3:1-4 (TLA).

Ahora bien, es posible que algunos al leer este pasaje, digan para sí: *«Pero el hombre y la mujer no murieron en el momento que comieron del árbol»* y es cierto, en ese preciso momento no murieron. Pero por causa de su desobediencia ingirieron muerte, y aunque permanecían vivos luego de comer del fruto que Dios les había dicho que no comieran, la muerte había entrado en ellos, y su manifestación (aunque no fue instantánea) ciertamente sería inminente.

Algo que para poder explicar mejor, usaremos la siguiente ilustración: Cuando un árbol es arrancado de la tierra, sus hojas no pierden el verdor inmediatamente. Existen casos donde pueden tardar hasta tres semanas para secarse y algunos al verlo, quizás lleguen a decir «¡Cortaron este árbol, pero aún sus hojas siguen verdes!». Sin embargo, el verdor que exhiben las hojas de un árbol luego de ser cortado, se debe a la sabia que absorbió a través de la raíz mientras estaba conectado a la tierra, la que al recibir la raíz, llevó al tronco y el tronco pasó a las ramas para que las ramas la transmitieran a las hojas. Pero cuando la raíz se desprende de la tierra, ya no recibe la sabia que antes llevaba al tronco y una vez que al tronco se le acaban las reservas de la sabia, no puede llevar vida a las ramas, y las ramas al no poder recibir vida del tronco, tampoco la pueden transmitir a las hojas. Por lo que, al terminarse las reservas de la sabia, por más que el árbol quiera resistirse, su sequedad se hará evidente.

De igual modo pasó con Adán y Eva. El pecado los había desconectado de la comunión que tenían con el Señor,

31

que era semejante a la conexión que tienen los árboles con la tierra, a través de sus raíces. Porque «... *El salario que nos da el pecado, es la muerte*». Romanos 6:23 (BLP) Y precisamente destrucción y muerte es lo que Satanás busca traer a la vida de nosotros, con las continuas y diversas incitaciones al pecado que nos hace.

Ahora bien, Adán y Eva desobedecieron y fueron juzgados, pero Dios en su justo juicio no iba a dejar sin sentencia a los demás implicados. Así que sentencia de juicio fue emitida para la serpiente, por ser el instrumento usado para ejecutar el engaño y sentencia de juicio fue emitida para Satanás, por ser el autor intelectual del mismo.

«Por esto que has hecho, maldita serás, más que todo animal doméstico y ¡más que todo animal salvaje! Mientras tengas vida, te arrastrarás sobre tu vientre y comerás el polvo de la tierra». Génesis 3:14 (RVR 1960).

«Pondré enemistad entre ti la mujer, y entre tu descendencia y la suya. Su descendencia te aplastará la cabeza, y tú le morderás el talón del pie» Génesis 3:15 (BLP).

El término «maldecir» utilizado en el versículo 14, según el idioma hebreo es «arar» y se traduce como: Abominar y despreciar severamente. Por lo que la maldición emitida por Dios contra la serpiente, implicaba el hecho de ésta ser mirada mientras exista, como una criatura vil, abominable y despreciable.

Además de esto, debemos hacer énfasis en la siguiente declaración: «Te arrastrarás», ya que precisamente por la posición que le fue asignada a la serpiente, la herida causada por ésta a la simiente de la mujer, sería en el talón del pie. Mientras que la simiente que saldría de la mujer le destrozaría la cabeza. En otras palabras, cada quien hiere desde el nivel en el que está.

En este punto, debemos resaltar que aunque ciertamente nuestra lucha no es con carne ni sangre sino espiritual (Ver Romanos 6:12) Dios, en su justicia perfecta también trae juicio sobre la carne que se deja utilizar.

«...Y comerás el polvo de la tierra». La serpiente fue usada por Satanás para tentar a Eva a comer lo que no debía, y como consecuencia de esto fue sentenciada por Dios, a comer durante toda su vida, aquello que no quería. Por lo que si bien es cierto que debemos cuidarnos de los ataques que puedan venir a nosotros a través de todo lo que tiene semejanza de serpiente, no menos cierto es que debemos negarle la entrada a todo lo que el enemigo quiera poner en nosotros, con el fin de usarnos para llevar a cabo sus destructivos propósitos.

«*Porque temo que, así como la serpiente con su astucia engañó a Eva, los pensamientos de ustedes sean desviados de un compromiso puro y sincero con Cristo*». *1 Corintios 11:3* (NVI).

«*Las tentaciones son inevitables, ¡pero gran aflicción le espera al que provoca la gente a pecar!*» Mateo 18:6 (NTV).

Continuando con nuestro análisis, consideremos lo que además el Señor dijo a la serpiente: «***Pondré enemistad entre tú y la mujer, entre tu descendencia y la suya. Su descendencia te aplastará la cabeza, y tú le morderás el talón del pie***». Génesis 3:15 (BLP).

El verbo «poner» utilizado en este pasaje según el idioma hebreo es «shiit» y se traduce como: «Maquinar, colocar, tejer, poner de frente». Mientras que la palabra «enemistad» es «eiba» y se traduce como: «Hostilidad, oposición, antipatía y conflicto armado». Por lo que al considerar ambos conceptos, tomando como referencia la raíz original del idioma en el que fueron escritos, podemos apreciar que esta parte de la sentencia, más que para la serpiente, fue emitida para Satanás quien se ocultaba detrás de ella.

Por lo que al hacer una paráfrasis de la expresión: «***Pondré enemistad entre ti y la mujer***» dicha por el Señor, obtenemos lo siguiente: «Yo mismo me encargaré de hacer que haya oposición, rechazo, antipatía y conflicto armado entre tú y la mujer. Haré que mientras existan sean entes contrarios, y me encargaré de hacer que se enfrenten continuamente».

«Su descendencia te aplastará la cabeza, y tú le morderás el talón del pie»; esta parte del texto, contiene la primera profecía dada por Dios acerca de la victoria aplastante que había de tener Jesús (como la simiente prometida) sobre el reino de Satanás, ya que a través de su muerte en la cruz, traería la salvación de toda la humanidad. Por lo que así como el pecado entró al mundo a través de la mujer, tambien a través de ella vino la simiente que trajo redencion a todo el mundo.

Sin embargo, es necesario aclarar que esta profecía no solo abarca una enemistad entre la simiente de la serpiente y la simiente de la mujer, donde la primera termina siendo aplastada y desmenuzada por la postrera, sino que además establece una enemistad directa entre la mujer como «género» y la serpiente como «diablo».

Por lo que de modo oficial, en Génesis 3:15 además de la profecía de redención para la humanidad a través de la victoria de Jesucristo, también se marca el origen de un sentimiento de intolerancia, rechazo y repugnancia eterna, entre Satanás y todo lo que lo representa, y entre la mujer y todo lo que ella produce.

> Todo el que no es gobernado por Jesucristo, es un perfecto candidato para ser un instrumento útil en las manos de Satanás.

Ahora bien, para poder operar en la tierra, lo que es espiritual necesita lo humano, es por esto que para llevar a cabo sus planes, Dios busca gente que se deje usar. Del mismo modo que para llevar a cabo los planes suyos, Satanás tambien busca lo mismo. Por lo que siempre esta al acecho, tratando de hallar cualquier persona que le dé acceso para dañar y marcar para mal la vida de la mujer, aún desde la niñez.

Todo el que no es gobernado por Jesucristo, es un perfecto candidato para ser un instrumento en las manos de Satanás, y todo el que por él se deja usar, se convierte en un representante de sus intereses.

Te has preguntado alguna vez ¿Por qué causa las mujeres tienden a contender con su mismo género, del modo tan intenso como lo hacen? Una de las razones de esto es que al adversario no le conviene tener a dos de sus enemigas unidas. De hecho, le teme a la simple idea de que una sola, llegue a convertirse en todo lo que puede ser; por eso su preocupación aumenta aún más cuando hay unidad entre dos o más mujeres que entienden, y se esfuerzan por dar cumplimiento al propósito que les ha encomendado el Señor.

> Las únicas uniones entre féminas que Satanás disfruta, son las que representan sus intereses.

Esta es la causa por la que se hace muy común encontrar dentro del género, abundancia de celos, contiendas, rivalidades y envidias.

LA INSEGURIDAD DE LA MUJER, LE OFRECE VENTAJA AL ENEMIGO

El sentimiento de inseguridad, es una de las grietas más aprovechadas por el adversario para hacer que una mujer se ensañe en contra de otra. Debido a que las mujeres que no entienden la gracia que portan ni los talentos que Dios les ha dado, generalmente buscan opacar la gracia y los dones que han sido depositados en la vida de otras.

Pero cuando una mujer reconoce su identidad y entiende su valor, comprende que ella, al igual que cada una de las

mujeres que Dios ha creado, es unica y no tiene rempla-
zos. Por lo que no hay ventaja ni ganancia en competir,
sino en complementarnos unas con otras, unificandonos
en propósito para juntas poder cumplir con las ordenan-
zas de Dios y llevar a la ruina los planes de destrucción
del adversario.

Las únicas uniones de féminas que Satanás disfruta, son
las que representan sus intereses. El ama ver mujeres
unidas para llevar a cabo fines pecaminosos, pero abo-
rrece verlas unidas para dar cumplimiento a la asignación para las que fueron creadas. ¿Cuál asignación? La
de revelar todo lo que Dios las creó para que fueran y
que, aunque el adversario quiso deshacer, el Hacedor
de ellas volvió a restablecer, porque luego de haber sido
emitida la sentencia de juicio para todos los participantes
del pecado incluyendo a la mujer, el relato de la historia
continua con lo siguiente: «*Y llamó Adán el nombre de su
mujer, Eva, por cuanto ella era madre de todos los vivientes*». Génesis 3:20. Algo que resulta ser interesante por las
siguientes razones:

◈ **El significado de su nombre:**

La traducción hebrea para el nombre de Eva, es «kjavvá»
y se traduce como: «dadora de vida y primera mujer».

◈ El momento en el que este nombre le fue dado:

En este punto, resulta útil recordar que la mujer fue creada como respuesta de Dios a la necesidad de acompañamiento que tenía el hombre. Por tanto, su diseño y la esencia que el Creador puso en ella, la equiparon para cumplir a cabalidad con tal objetivo. En este mismo orden cabe destacar que antes de la caída, el nombre de la mujer era «varona» pero antes de ser sacados del huerto, en medio de la crisis que hubo en ese momento, Adán le puso por nombre «Eva» que como ya vimos se traduce como «dadora de vida y primera mujer» con lo que queda expuesto que aún luego de haber fallado, la mujer retenía la esencia con la que había sido creada.

Ahora bien, es importante señalar que la capacidad que tiene la mujer para dar vida, no solo se limita en poder gestar un humano dentro del vientre y darlo a luz a los nueve meses, sino que también abarca su capacidad de dar vida a todo lo que en ella entra y a todo lo que ella toca.

Pero además de «dadora de vida» el nombre de Eva se traduce como «primera mujer» lo cual pone en claro que, así como hubo una «mujer primera» habrán mujeres postreras. Y esto se vuelve aún más interesante si recordamos que el nombre en términos bíblicos, hace referencia a la

39

esencia y al destino de quien se nombra. En otras palabras, no solo Eva como primera mujer fue diseñada para ser dadora de vida, sino que todas las mujeres nacidas después de ella, poseen esta misma esencia y habilidad.

Debido a esto, cada mujer nacida tiene un vientre físico, pero también tiene un «vientre» emocional, tiene un «vientre» mental pero también un «vientre» espiritual. Es así como su diseño y la esencia con la que está compuesta, le permite dar vida en toda su expresión.

Dios le dio a la mujer la facultad de recibir cosas dentro de ella, nutrirlas, hacerlas madurar y luego devolverlas completamente desarrolladas. En otras palabras, cualquier cosa que le des a una mujer, lo va a potencializar. Tal como lo expresó el poeta y novelista británico William Golding «La mujer es una mejoradora y si se dispone a usar sus facultades, cualquier cosa que le des, ella la llevará a un nivel superior. Si le das un esperma, te devolverá un hijo; si le das una casa, te dará un hogar; si le das una idea, te dará un proyecto; si le das alimentos, te devolverá comida; y si le das una sonrisa, te dará su corazón».

Dios jamás pondrá en nosotros algo que no tenga la intención de usar. Por lo que todos los dones, talentos y habilidades que nos ha dado ha sido con el fin de que podamos dar cumplimiento cabal a la asignación que nos ha encomendado.

> Dios le dio a la mujer la facultad de recibir cosas dentro de ella, nutrirlas, hacerlas madurar y luego devolverlas completamente desarrolladas.

Así que, si en algún momento te has hecho algunas de las siguientes interrogantes, aquí te proveemos lo que esperamos te sirva de respuesta:

◈ ¿Por qué será que Dios me deja estar con personas tan problemáticas? **Respuesta**: Porque tienes la capacidad de ayudarlas a convertirse en algo mejor de lo que son.

◈ ¿Por qué me tocó tener una familia como la que tengo? **Respuesta:** Porque con el diseño que portas, puedes trabajar con ellos hasta hacer que se conviertan en una familia que sirva como modelo para las demás.

◈ ¿Por qué me ha tocado pasar todo lo que he pasado en la vida? **Respuesta:** Porque debido a la esencia que portas, tienes la facultad de tomar las malas experiencias que te acontecen, reciclarlas y convertirlas en testimonios que sirvan de bendición, fortaleza y edificación a la vida de otros.

Así que no eres víctima de lo que viviste en el pasado ni de las circunstancias que puedas estar enfrentando actualmente; sino que eres una hija de Dios y una enemiga de Satanás a quien, al él atacar cometió un grave error, porque fuiste preparada por tu Hacedor para tomar las situaciones adversas a las que eres expuesta, como un escenario para revelar la dadora de vida que llevas dentro.

En este punto quiero volver a hacer énfasis en que la sentencia emitida por Dios contra la serpiente, deja claro que su golpe aplastante no vendría directamente de la mujer, sino de su simiente que según la traducción hebrea es «zera» que significa: «fruto, descendiente, ser fecunda». Y aunque (como ya mencionamos) esta profecía hace referencia a la victoria que tendría Jesús sobre Satanás, revela además la razón por la que el enemigo le teme a todo lo que la mujer (como su enemiga acérrima) puede llegar producir cuando se pone en las manos de Dios. Por esto para obstruir su pro-

> Fuiste preparada por tu Hacedor para tomar las situaciones adversas a las que eres expuesta, como un escenario para revelar la dadora de vida que llevas dentro.

ductividad, el adversario siempre busca llevar a cabo una de estas tres acciones:

1. Esterilizarla para que no produzca nada.
2. Instarla a que haga mal uso de lo que produce.
3. Quitarle la vida a su producción.

Esto último, fue precisamente lo que él quiso hacer con Eva, pero para entenderlo mejor volvamos a observar lo dicho por el Señor a la serpiente, acerca de la simiente de la mujer: *«Su descendencia te aplastará la cabeza, y tú le morderás el talón del pie»*. Génesis 3:15b (BLP).

En esta parte no podemos obviar el hecho de que por haber estado en el cielo como parte del ejercito angelical del Creador, (Ver Ezequiel 28:12-16) Satanás conocía el carácter y la firmeza del Señor y no tuvo ninguna duda de que, por haber salido de la boca de Dios, su derrota por parte de la simiente de la mujer ocurriría indefectiblemente. Pero aun sabiéndolo, no estaba dispuesto a dejar que esto ocurriera sin hacer todo lo que pudiera para tratar de evitarlo.

Así que a partir del mismo momento en que fue emitida la sentencia, se mantuvo muy atento a lo que salía del vientre de la mujer con el fin de dañarlo. De modo que prestó especial atención a Caín su primer hijo, pensando

> Si bien es cierto que todo lo que Dios dice lo cumple, el cumplimiento de lo que Él nos dice, casi siempre suele tomar más tiempo del que nosotros pensamos.

que este podría haber sido la simiente de la cual se le había dado advertencia.

Sin embargo, al ver el nombre que Eva puso a Caín, cuya traducción es «adquisición» y considerar lo que expresó al momento de darlo a luz, podemos deducir que ella también pudo pensar que este podía haber sido la simiente en la que habría de cumplirse la promesa.

*«...Y dio a luz a su hijo Caín, y dijo: Ya **tengo un hijo varón. El Señor me lo ha dado**».* Génesis 4:1 (DHH).

Y esto es lo que también ocurre a muchas personas cuando reciben una promesa de parte de Dios. Pensando que el cumplimiento de la misma será inmediato, toman decisiones y realizan acciones que aunque no son incorrectas, son llevadas a cabo en el tiempo no indicado. Porque si bien es cierto que todo lo que Dios dice lo cumple, no menos cierto es que el cumplimiento de lo que Él nos dice, casi siempre suele tomar más tiempo del que nosotros pensamos.

Eso fue lo que le paso a Eva, a quien ciertamente el Señor le había de dar la simiente de la que saldría quien iba a aplastar la cabeza de la serpiente, pero esto no tuvo cumplimiento de forma inmediata. Sin embargo, aunque en su primera simiente Eva no vio lo que esperaba, lejos de detenerse se mantuvo produciendo.

Y tú, ¿Qué haces cuando las cosas no salen como esperabas? ¿Cuál es tu reacción cuando luego de hacer todo lo que te correspondía y haber obedecido en todo lo que debías, ves un resultado distinto al que el Señor te dijo que verías?

Pido a Dios que sin importar como hayas reaccionado hasta ahora, de aquí en adelante tomes como referencia de acción el legado que nos dejó Eva y aunque pase lo que pase y veas lo que veas, decidas siempre **¡SEGUIR PRODUCIENDO!**

«Después de esto, Eva dio a luz a Abel, hermano de Caín». (Ver versículo 4:2).

Abel, cuyo nombre significa «lo que asciende o vapor» fue el segundo hijo de Eva y al darlo a luz, ella pudo pensar que la profecía que le había sido dada (al no cumplirse con el nacimiento de su primer hijo) podría haberse manifestado con su hijo número dos. Pero no fue así, sino

45

que en vez de esto la primera simiente que fue Caín, permitió que Satanás, en su plan de acabar con toda simiente de su enemiga, llenara su corazón de apatía, rebeldía, celos y envidia; y como consecuencia de esto terminó matando a su hermano Abel, la segunda simiente de la mujer. Veamos lo que la Biblia nos dice al respecto:

Pasó el tiempo, y un día Caín llevó al Señor una ofrenda del producto de su cosecha. También Abel llevó al Señor las primeras y mejores crías de sus ovejas. El Señor miró con agrado a Abel y a su ofrenda, pero no miró así a Caín ni a su ofrenda, por lo que Caín se enojó muchísimo y puso muy mala cara. Entonces el Señor le dijo: «¿Por qué te enojas y pones tan mala cara? Si hicieras lo bueno, podrías levantar la cara; pero como no lo haces, el pecado está esperando el momento de dominarte. Sin embargo, tú puedes dominarlo a él.»

Un día, Caín invitó a su hermano Abel a dar un paseo, y cuando los dos estaban ya en el campo, Caín atacó a su hermano Abel y lo mató. Entonces el Señor le preguntó a Caín —¿Dónde está tu hermano Abel? Y Caín contestó: —No lo sé. ¿Acaso es mi obligación cuidar de él? El Señor le dijo: —¿Por qué has hecho esto? La sangre de tu hermano, que has derramado en la tierra, me pide a gritos que yo haga justicia. Por eso, quedarás maldito y expulsado de la tierra que se ha bebido la sangre de tu hermano, a quien tú mataste. Aunque trabajes la tierra, no volverá a darte sus frutos. Andarás vagando por el mundo, sin poder descansar jamás». Génesis 4:3-12 (DHH).

En el texto que acabamos de ver, queda revelado que también aquí (aunque esta vez de manera más discreta que en su intervención anterior) Satanás hace acto de presencia, y logra arrastrar a Caín a su red de pecado haciendo uso del siguiente plan de acción:

1. Identificó una puerta para hacer su entrada: La puerta de entrada del adversario a la vida de Caín, fue el sentimiento de enojo que éste tenía porque Dios se agradó de la ofrenda que su hermano Abel, le presento.

*«Pasó el tiempo, y un día **Caín llevó al Señor una ofrenda del producto de su cosecha**. También **Abel llevó al Señor las primeras y mejores crías de sus ovejas**. El Señor miró con agrado a Abel y a su ofrenda, pero no miró así a Caín ni a su ofrenda, **por lo que Caín se enojó muchísimo y puso muy mala cara».** (Ver. 7).*

Pero a lo largo del tiempo, muchas personas se han preguntado: ¿Por qué Dios se agradó de la ofrenda de Abel, y de la de Caín no?

La respuesta a esto se basa en lo siguiente: Caín, llevo al Señor «una ofrenda del producto de su cosecha» mientras que Abel llevo al Señor «las primeras y mejores crías de sus ovejas». En otras palabras, la ofrenda de Caín estaba basada en «cumplir con lo que debía» pero la ofrenda de Abel, estaba basada en «dar a Dios lo mejor de lo que tenía». Por esto aún los escritos del Nuevo Testamento dan testimonio de él, diciendo: «*Por la fe Abel ofreció a Dios un sacrificio más valioso que el de Caín; por la fe fue proclamado justo al dar Dios testimonio a favor de sus ofrendas. Y aún el ya estando muerto, su fe habla de él, todavía*». Hebreos 11:4 (BLP).

De modo que la realidad bíblica acerca de esto, no es que Dios tuvo como favorito a Abel; fue que Abel tuvo como favorito a Dios, por encima de sus pertenencias, y los que deciden dar al Señor lo mejor de ellos, serán siempre recompensados de acuerdo a su nivel de entrega. Pero Caín, era del tipo de persona que hace las cosas con mediocridad y espera recibir la misma recompensa que obtienen los que se esmeran y hacen las cosas con excelencia.

Sin embargo, en este punto quizás algunos piensen: ¿Pero porque Dios no se agradó de la ofrenda de Caín, si también era una dádiva? Para obtener la respuesta de esto, debemos recordar que a Dios no le damos; a Dios le devolvemos de lo que nos da, porque Él es Dueño de todo lo que existe mientras que nosotros solo somos mayordomos de lo que Él pone en nuestras manos.

De hecho, cuando la Biblia nos habla acerca de cómo debemos ofrendar al Señor, dice que le traigamos o que le devolvamos de lo que previamente hemos recibido de parte de Él. Observemos solo algunos de los pasajes bíblicos que comprueban esto:

> A Dios no le damos; a Dios le devolvemos de lo que nos da.

❖ *«Pero, ¿quién soy yo, y quién es mi pueblo, para que podamos darte algo a ti? ¡Todo lo que tenemos ha venido de ti, **y traemos a ti, solo lo que tú primero nos diste!**».* 1 Crónicas 29:14 (NTV).

❖ *«**Traerás** lo mejor de las primicias de tu tierra a la casa del Señor tu Dios».* Éxodo 23:19 (LBLA).

❖ *«**Traigan** íntegro el diezmo para los fondos del templo, y así habrá alimento en mi casa».* Malaquías 3:10 (NVI).

❖ *«...Den al César lo que pertenece al César y **den a Dios lo que pertenece a Dios**».* Marcos 12:17 (NTV).

Ahora continuemos con la evaluación del plan de acción usado por el adversario para hacer pecar la primera simiente de Eva:

2. Instó a Caín, no solo a llenarse de celo y de envidia contra su hermano, sino también a matarlo.

Causa por la cual, el Señor le hace la siguiente advertencia: «*Serás aceptado si haces lo correcto, pero si te niegas a hacer lo correcto, entonces, ¡ten mucho cuidado! Porque el pecado está a la puerta, al acecho y ansioso por controlarte; pero tú debes dominarlo y ser su amo*». Génesis 4:7 (NTV).

Al considerar este pasaje con detenimiento, podemos observar diversos puntos interesantes como son los siguientes:

Serás aceptado si haces lo correcto... Al decir estas palabras a Caín, el Señor básicamente le expresa: Si de aquí en adelante obras bien y te arrepientes de tu pecado, podrás traer reforma a tu corazón, tu vida será alineada, tu sacrificio será aceptado y tu honor será restaurado.

Pero si te niegas a hacer lo correcto, entonces, ¡ten cuidado!... Si no tomas la decisión de obrar bien y en vez de humillarte, decides persistir en la actitud errada que tienes, entonces ten cuidado...

Porque el pecado está a la puerta, al acecho y ansioso por controlarte... En esta parte, el Señor le aclara a Caín que por causa de su actitud de enojo, el pecado (refiriéndose específicamente al acto de homicidio que, por no obedecer a la advertencia de Dios, termina cometiendo más adelante) se hallaba a la puerta como una fiera, esperando ansiosamente que se le diera acceso para atacarle y dominarle.

Pero tú debes dominarlo y ser su amo... Esta parte del enunciado nos certifica la siguiente verdad: nos convertimos en la autoridad de aquello que decidimos vencer, pero lo que no nos disponemos a vencer se convierte en la autoridad nuestra.

Dios, nunca nos dirá que hagamos algo que Él no nos haya capacitado para hacer, por lo que al decir a Caín que debía dominar y ser el amo del pecado que buscaba dominarlo a él, el Señor le está dejando claro: *Caín, solo tienes que tomar la decisión y disponerte a vencerlo porque ciertamente tú puedes hacerlo.* Pero, en vez de dominar el pecado, Caín se dejó arrastrar por él, obedeciendo como un esclavo a la incitación que Satanás le

> Dios, nunca nos dirá que hagamos algo que Él no nos haya capacitado para hacer.

hizo para que asesinara a su hermano Abel, lo que (como toda sugerencia del adversario) le trajo tan terribles consecuencias, que de esto nace el conocido refrán: «Las de Caín» para referirse a una situación altamente difícil de soportar.

*«... Y Él (Dios) le dijo: ¿Qué has hecho? La voz de la sangre de tu hermano clama a mí desde la tierra. Ahora pues, maldito eres de la tierra, que ha abierto su boca para recibir de tu mano la sangre de tu hermano. Cuando cultives el suelo, no te dará más su vigor; vagabundo y errante serás en la tierra. Y Caín dijo al Señor: **Mi castigo es demasiado grande para soportarlo**».* Génesis 4:10-13 (LBLA).

En esta parte, resulta útil recordar que el nombre de Abel, significa: «Lo que asciende o vapor» por lo que aún después de muerto, su esencia ascendió a Dios reclamando justicia y el Señor, justicia mostró.

De manera que como hemos visto, en la primera simiente de Eva que fue Caín, no tuvo cumplimiento la promesa que le había sido dada, pero dicha promesa tampoco se cumplió en Abel su segunda simiente, porque su hermano Caín le dio muerte. No obstante, lejos de detenerse por causa de esto, Eva firmemente se mantuvo produciendo y dio a luz a su tercer hijo.

«Y conoció aún Adán a su mujer, la cual dio a luz un hijo, y llamó su nombre Set; porque **Dios (dijo ella) me ha dado otra simiente por Abel, al cual mató Caín».** Génesis 4:25 (JBS).

Según el idioma hebreo el nombre Set, se traduce como: «puesto en lugar de» porque en el lugar de Abel a Eva le fue dado Set, para que de su descendencia saliera la simiente de la que a ella se le había dado por promesa, que aplastaría la cabeza del adversario.

Y esto también es lo que el Señor hace con nosotras, cuando a pesar de no ver de forma inmediata lo que Él dijo que nos entregaría, le seguimos creyendo, y cuando a pesar de ver morir lo que entendíamos ser un regalo de Dios para nosotras, no nos damos por vencidas y por encima de nuestro dolor, quebranto, desilusión e incertidumbre seguimos caminando, seguimos avanzando y seguimos produciendo.

«Así que **no nos cansemos** *de hacer el bien.* **Porque a su debido tiempo**, *cosecharemos numerosas bendiciones si no nos damos por vencidos».* Gálatas 6:9 (NTV).

53

Principios del Capítulo

1. Todo lo que el Señor hace, lo hace con sentido de propósito para que cumpla con un fin específico, y no para que sólo ocupe un lugar en el espacio.

2. No podemos decir que hemos obedecido a Dios auténticamente, hasta que teniendo la oportunidad de desobedecerlo, hemos decidido no hacerlo.

3. Del mismo modo que Dios utiliza personas y cosas para bendecirnos, Satanás utiliza las mismas herramientas para destruirnos.

4. Satanás no puede hacer nada si no cuenta con la autorización del Señor para hacerlo.

5. Desviar nuestra atención de lo que nos insta a hacer lo incorrecto, es una de las formas más efectivas de vencer la tentación.

6. Nuestros momentos de soledad deben ser usados para fortalecer y afianzar nuestra comunión con el Señor, y no para permitir que nuestros pensamientos y deseos no santificados, tomen la rienda de ese tiempo.

7. Toda coartada del enemigo, siempre contendrá una falsedad o simplemente una verdad a medias.

8. Aunque ciertamente nuestra lucha no es con carne ni sangre sino espiritual, Dios en su justicia perfecta, también trae juicio sobre la carne que se deja utilizar.

9. Para poder operar en la tierra, lo que es espiritual necesita lo humano; es por esto que para llevar a cabo sus planes, Dios busca gente que se deje usar. Del mismo modo que para llevar a cabo los planes suyos, Satanás tambien busca lo mismo.

10. Las mujeres que no entienden la gracia que portan ni los talentos que Dios les ha dado, generalmente buscan opacar la gracia y los dones que han sido depositados en la vida de otras.

11. La capacidad que tiene la mujer para dar vida, no solo se limita en poder gestar un humano dentro del vientre y darlo a luz a los nueve meses, sino que también abarca su capacidad de dar vida a todo lo que en ella entra y a todo lo que ella toca.

12. Dios jamás pondrá en nosotros algo que no tenga la intención de usar. Por lo que todos los dones, talentos y habilidades que nos ha dado ha sido con el fin de que podamos dar cumplimiento cabal a la asignación que nos ha encomendado.

13. Satanás conocía el carácter y la firmeza del Señor y no tuvo ninguna duda de que, por haber salido de la boca de Dios, su derrota por parte de la simiente de la mujer ocurriría indefectiblemente.

14. Los que deciden dar al Señor lo mejor de ellos, serán siempre recompensados de acuerdo a su nivel de entrega.

15. Nos convertimos en la autoridad de aquello que decidimos vencer, pero lo que no nos disponemos a vencer se convierte en la autoridad nuestra.

Lea

━━━━━●◆●━━━━━

Recompensada por ser menospreciada

*L*a segunda mujer que vamos a considerar en este libro es Lea, cuyo nombre viene de la raíz hebrea «laa» qué se traduce como: «cansada, exhausta o fatigada». Lea fue la esposa de un hombre que no la amaba llamado Jacob, nieto de Abraham e hijo de Isaac, cuya personalidad fue revelada aun desde antes de nacer.

La madre de Jacob fue Rebeca, quien por causa de lo dificultoso de su embarazo, consultó a Dios para recibir respuesta acerca de porque le estaba pasando esto y el Señor le respondió: *«Dos naciones hay en tu seno, Y dos pueblos serán divididos desde tus entrañas; El un pueblo será más fuerte que el otro pueblo,* **Y el mayor servirá al menor»**. Génesis 25:22-23 (RVR 1960).

Cuando Rebeca dio a luz a los mellizos, Esaú el hermano de Jacob, salió del vientre primero, pero la mano de Jacob salió como una extensión de él, tomándole por el talón del pie. Por eso el nombre de Jacob, significa «el que toma por el talón, el que suplanta, o el que quiere ocupar una posición que no le pertenece». Sin embargo, la primogenitura había sido asignada por Dios a Jacob, desde antes de nacer, pero el hecho de valerse de movimientos humanos (aun desde el vientre de su madre) para obtenerla, fue la causa por la que le fue puesto ese nombre.

Existe un gran peligro en volvernos ansiosos cuando ciertamente tenemos una promesa de parte del Señor pero el tiempo de su cumplimiento aún no ha llegado. Porque cuando la ansiedad toma el control, nos dejamos arrastrar por ella para hacer cosas que según nuestra propia percepción, contribuirán a la aceleración del cumplimiento de lo que el Señor nos ha dicho. Pero la percepción influenciada por la desesperación nunca será buena consejera.

Ya que cuando el tiempo de Dios para que algo suceda aún no ha llegado, manipulando personas y cosas, solo lograremos producir caos, desastres y en ocasiones, hasta retrasos en lo que el Señor ha dicho que hará en su debido momento.

Dios no necesita que manipulemos nada para que se cumpla lo que Él nos prometió que va a hacer. Porque cuando el reloj del cielo marca el tiempo señalado

> La percepción influenciada por la desesperación nunca será buena consejera.

para el cumplimiento de algo, nada de lo que intente oponerse en la tierra, será capaz de detenerlo.

«*Todo lo que Jehová quiere, lo hace, en los cielos y en la tierra, en los mares y en todos los abismos*». Salmos 135:6 (RVR 1960).

Ahora, para poder apreciar mejor la trama del acontecimiento ocurrido en la vida de Jacob, observemos los siguientes versos:

«*Aconteció que cuando Isaac envejeció, y sus ojos se oscurecieron quedando sin vista, llamó a Esaú su hijo mayor, y le dijo: Hijo mío. Y él respondió: Heme aquí. Y él dijo: He aquí ya soy viejo, no sé el día de mi muerte.*

Entonces Rebeca habló a Jacob su hijo, diciendo: *He aquí yo he oído a tu padre que hablaba con Esaú tu hermano, diciendo: Tráeme caza y hazme un guisado, para que coma, y te bendiga en presencia de Jehová antes que yo muera. Ahora, pues, hijo mío, obedece a mi voz en lo que* *te mando. Ve ahora al ganado, y tráeme de allí dos buenos cabritos de las cabras, y haré de ellos viandas para tu padre, como a él le gusta; y tú las llevarás a tu padre, y comerá, **para que él te bendiga antes de su muerte».***

«Entonces éste fue a su padre y dijo: Padre mío. E Isaac respondió: Heme aquí; ¿quién eres, hijo mío? Y Jacob dijo a su padre: Yo soy Esaú tu primogénito; *he hecho como me dijiste: levántate ahora, y siéntate, y come de mi caza, para que me bendigas. Entonces Isaac dijo a su hijo: ¿Cómo es que la hallaste tan pronto, hijo mío? Y él respondió: Porque Jehová tu Dios hizo que la encontrase delante de mí. E Isaac dijo a Jacob: Acércate ahora, y te palparé, hijo mío, por si eres mi hijo Esaú o no. Y se acercó Jacob a su padre Isaac, quien le palpó, y dijo: La voz es la voz de Jacob, pero las manos, las manos de Esaú. **Y no le conoció, porque sus manos eran vellosas como las manos de Esaú; y le bendijo».*** Génesis 27:1-2, 6-10, 18-23 (RVR 1960).

Este acto de engaño cometido por Jacob, con la ayuda de su madre Rebeca (aunque contuvo un alto nivel de sagacidad) solo logro que éste se convirtiera en el causante de la decepción y el descontento de Isaac su padre y en el «blanco de ataque» de la ira de su hermano Esaú, causa por la cual huyó a la tierra de Harán, a casa de Labán el hermano de Rebeca, con instrucciones precisas de tomar mujer solo de las hijas de esa casa.

Estando allá Jacob conoció a Raquel, la hija menor de Labán, a quien la Biblia describe como una mujer «de lindo semblante y de hermoso parecer» y se enamoró locamente de ella. Por lo que acordó con Laban, trabajar durante siete largos años para poder tenerla como esposa. Pero por el gran amor que le tenía, estos años parecieron ser días. (Ver Génesis 29:18-20).

Cuando se había cumplido el tiempo del acuerdo para que Raquel fuera entregada como esposa a Jacob, Labán convocó a todos los varones del lugar y preparó un banquete que luego de haber concluido, dio espacio a la tan esperada noche de boda. Pero para esa noche, quien se convertiría en su suegro por partida doble, le había preparado una trampa, que de seguro más adelante llevó a Jacob a hacer memoria de la trampa que él también le había hecho a Esaú su hermano. Porque en vez de Labán entregarle a Raquel como esposa (tal como lo habían acordado) le hizo entrega de Lea, su hija mayor a quien la Biblia describe como una mujer de ojos «delicados», término que según el idioma hebreo es «rac» y literalmente se traduce como: «débil o blando» causa por la que muchos comentaristas han llegado a opinar que ella, pudo haber sufrido de lo que medicamente se conoce como estrabismo. A lo que además, se le añade el problema de no ser la mujer, que el hombre con el que se había casado, anhelaba tener como esposa.

Por otro lado, nos resulta fácil deducir el hecho de que Lea se sentía inferior a su hermana Raquel, posiblemente desde el mismo día del nacimiento de esta, debido a la belleza física que Raquel tenía y de la que (según lo establecido en el texto bíblico) Lea carecía.

Y aunque su padre la había entregado a Jacob como esposa, y en su noche de boda había recibido la atención, el afecto y el amor que probablemente nunca antes había experimentado, Lea sabía que ese trato realmente no era inspirado por el amor que Jacob sentía hacia ella, sino hacia su hermana Raquel.

Ahora bien, quizás en este punto te preguntes: Pero, ¿Como Jacob no se dio cuenta de que había sido engañado? ¿Como no pudo percibir que a quien esa noche, se entregaba no era Raquel, sino Lea? Esto ocurrió debido a que la costumbre de aquellos tiempos establecía, que la novia debía entrar a la recamara (especialmente preparada para la noche de boda) cubierta con un velo oscuro que debía mantenerse puesto hasta la mañana próxima, cuando con el acto de remoción del velo, se daba por consumado el pacto del matrimonio. Pero al llegar la mañana, cuando Jacob removió el velo del rostro de Lea, se sintió frustrado, herido y engañado, por lo que rápidamente fue a confrontar a Labán.

Aquí podemos ver confirmado, lo que claramente nos establece el texto sagrado diciendo: *«No os hagáis ilusiones: de Dios no se burla nadie. **Lo que cada uno haya sembrado, eso también será lo que cosechará»**. Gálatas 6:7 (BLP).

Por causa de esto, vemos aquí a quien en un tiempo estafó, siendo estafado y a quien en un tiempo engañó, siendo engañado.

Mientras que Lea, estaba atrapada entre las consecuencias del modo manipulador y egocentrista con el que su padre había llevado a cabo este engaño, y entre el rechazo que su esposo (por haber sido engañado) le manifestaba. Es decir, que Lea no había optado por vivir esto, pero a pesar de no haberlo escogido, esta era una realidad a la que ella debía hacer frente.

Y a ti, ¿Te ha tocado alguna vez vivir las consecuencias de las malas acciones que otros han realizado? Lea, es un claro ejemplo de alguien que ha tenido que pasar por esto.

La meta de Lea, como la de toda mujer (o por lo menos la de la mayoría) era sentirse amada, admirada y respetada por quien ella era, pero en vez de esto se sentía usada, no amada y totalmente subestimada.

Por otro lado, luego de Jacob haber reclamado a Laban lo que le había hecho, este hizo un acuerdo más con él, que consistía en darle también a Raquel su hija menor por mujer, si se disponía a trabajar para él otros siete años.

«Y Jacob le reclamó a Labán: — ¿Qué cosa me has hecho? ¿No trabajé contigo por Raquel? Entonces, ¿por qué me has engañado? Y Labán le contestó: Aquí no acostumbramos que la hija menor se case antes que la mayor. **Cumple con la semana de bodas de Lea y entonces te daremos también a Raquel, si es que te comprometes a trabajar conmigo otros siete años.** Jacob aceptó, y cuando terminó la semana de bodas de Lea, Labán le dio a Raquel por esposa. Jacob se unió también a Raquel, y la amó mucho más que a Lea, aunque tuvo que trabajar con Labán durante siete años más» Génesis 29:25-28,30 (DHH).

Así que luego de tan solo una semana después de la boda con Lea, Jacob se convirtió en el esposo de Raquel la mujer que amaba y la que de manera vehemente anhelaba tener para darle todo su amor, afecto, calor y comprensión. ¿Te imaginas como todo esto pudo haber hecho sentir a Lea? ¿Tienes alguna idea de cómo esto pudo haber afectado la autoestima de esta mujer?.

Quizás ni tu ni yo, podamos entenderlo del todo pero ciertamente no pasaba lo mismo con la apreciación que el Señor tenía respecto a esto. Lo que queda revelado en el siguiente verso:

«Cuando el Señor vio que Jacob despreciaba a Lea, hizo que ésta tuviera hijos, pero a Raquel la mantuvo estéril.» Génesis 29:31 (DHH).

El término «vio» según el idioma hebreo, es «raa» y se traduce literalmente como: «atender, considerar, contemplar, levantar, estimar y reconocer».

Por lo que el menosprecio de Jacob hacia su esposa Lea, hizo que la justicia del Señor se manifestara a favor de ella atendiéndola, considerándola, contemplándola, levantándola, estimándola y reconociéndola.

¡Oh cuanto bien nos hacen ciertas experiencias dolorosas, aunque en el momento que las vivimos, no parezca

65

que puedan de algún modo, llegar a favorecernos! Algo que la Biblia claramente nos muestra al decir:

*«Cuando el Señor **vio que Jacob despreciaba a Lea, le concedió tener hijos»**.* Dejando claro que el desprecio que Jacob mostraba hacia Lea, fue lo que sirvió como detonante para que se manifestara la gracia y la defensa de Dios a su favor. Lo que comprueba que no importa cuánto te subestimen o rechacen las personas que te rodean, cuando tienes de tu lado el favor y la gracia del Señor.

> ¡Oh cuanto bien nos hacen ciertas experiencias dolorosas, aunque en el momento que las vivimos, no parezca que puedan de algún modo, llegar a favorecernos!

Sin embargo, también resulta interesante considerar la actitud que manifestó Lea, ante la bendición que le fue dada de parte de Dios. Ya que, en vez de mantener una postura humilde y pasiva, hizo uso del don de productividad que el Señor le había dado, para tratar de conseguir la atención del hombre. Algo que podemos apreciar claramente, en los siguientes pasajes:

«Y concibió Lea y dio a luz un hijo, y le puso por nombre Rubén pues dijo: «Por cuanto el Señor ha visto mi aflic-

ción, sin duda ahora mi marido me amará». Génesis 29:32 (NBLH).

Con la intención de ser atendida y reconocida, al primer hijo que dio a luz, Lea le puso por nombre «Rubén», que según la traducción hebrea significa: «mírenme o vean ustedes un hijo». En este punto queremos volver a recalcar, que no está mal querer ser apreciado, valorado y reconocido, pero exhibir lo que tenemos con el fin de llamar la atención de otros, no es el propósito para el cual los dones de Dios nos han sido entregados, y siempre que sean usados para este fin, no podremos producir con ellos los resultados reales para los cuales esos dones, nos fueron otorgados.

Lea, pensó que el nacimiento de Rubén le pondría fin a la atención que Jacob le daba Raquel, lo que queda revelado en la expresión siguiente: ***«Sin duda ahora, mi marido me amará».*** Génesis 29:32b (NBLH).

Pero Jacob no la amó.

Lea estaba casada con un hombre que probablemente durante todo el día, ni siquiera se preocupaba por saludarla o preguntarle

> Exhibir lo que tenemos con el fin de llamar la atención de otros, no es el propósito para el cual los dones de Dios nos han sido entregados.

como ella se sentía. Porque, aunque Jacob diariamente la veía, nunca se ocupaba de mirarla. Él no se daba cuenta si ella aumentaba o bajaba de peso, el no notaba cuando ella estaba usando algún traje o zapato nuevo y jamás se percataba de si ella cambiaba o usaba el mismo estilo de peinado. Porque para Jacob, Lea vivía en la casa pero no vivía en su mundo. Y aunque ella le había dado un hijo, y le había puesto un nombre «estratégico» para llamar la atención de él, éste hijo no trajo como resultado el que su marido la mirara, mucho menos logró hacer que la amara.

> El rechazo hacia la mujer por parte de las personas que ella ama, suele ser una de las armas más usadas por Satanás para afectar sus emociones.

En este punto, cabe destacar que el rechazo hacia la mujer por parte de las personas que ella ama, suele ser una de las armas más usadas por Satanás para afectar sus emociones y cuando esta mujer no enfrenta la situación del modo como debe, puede incluso llegar a afectar su parte espiritual y su parte física. Ya que luego de un tiempo, comienza a considerar como válidos, los susurros que le hace el adversario en medio de tal situación, como son estos: «La razón por la que eres rechazada es porque no tienes ningún valor» «No cuentas con la capacidad de ser la persona que los demás esperan que seas» y es ahí donde la mujer que está siendo rechazada, piensa: «Debo hacer algo para convertirme en lo que aún no soy». Esto fue lo que hizo Lea, al ponerle a su primer hijo «mírenme», pero al ver que Jacob no la miró como ella esperaba, procedió a quedar embarazada una vez más y a su segundo hijo, le puso por nombre Simeón, cuya traducción es «shimeon» y significa: «oír» u «óyeme».

En su segundo intento por llamar la atención de su esposo, Lea nombra al segundo niño Simeón, como diciendo: «Okey Jacob, ya que no quieres verme, entonces por lo menos, óyeme». Buscando así que él, le prestara atención a sus sentimientos, a sus opiniones, a sus inquietudes y a sus emociones. Ella quería compartirle a su esposo como le había ido durante el día, cuales ideas se le habían ocurrido y cuales planes ella se forjaría, pero sin importar los intentos de Lea por conseguir esto, su esposo no la oía.

Una de las peores situaciones que puede llegar a enfrentar una mujer, es vivir con un hombre que no le presta atención. Muchos son los matrimonios en los que las mujeres se encargan de hablar, mientras que el hombre se encarga de ignorarlas. Y esto por supuesto, afecta la vida de pareja, sobre todo cuando la situación no es bien manejada por la persona afectada.

Cada vez que Lea pronunciaba el nombre de su hijo Simeón, pedía a gritos a su esposo: «Escúchame por favor». Pero Jacob no la escuchó.

Por lo que, en su obstinada persistencia por conseguir la atención de Jacob, Lea quedó embarazada otra vez y a su tercer hijo le puso por nombre Leví, que se traduce como: «únete a mi» o «conéctate conmigo», acto con el que Lea, desesperadamente decía a Jacob: «Conéctate conmigo. ¿Es que no ves que soy la que te está dando hijos? Es por causa de mí que te has convertido en padre. Mi hermana no te está dando lo que yo te doy. ¿Acaso no te das cuenta que es la relación nuestra la que Dios ha bendecido?».

En este punto (como es obvio) podemos observar que Jacob cumplía con su deber conyugal con Lea, causa por la que ella había dado a luz todos estos hijos, pero el afecto que ella deseaba tener de su esposo no lo recibía a través de esto. Porque no es lo mismo amar a alguien, que tener sexo con ese alguien, y estoy segura de que muchas de las mujeres que leen esto, saben muy bien a lo que me refiero.

El deseo de Lea no era solo tener sexo con su esposo, era ser su amiga íntima y sentir que ella también lo era para él; quería que Jacob la amara, que le compartiera los secretos de su vida y que le expresara los deseos de su corazón. Lea realmente deseaba con todas sus fuerzas, que las cosas en su matrimonio fueran diferentes. Su anhelo era estar tan unida a Jacob, que en vez de dos, fueran «un solo ser» como lo estableció el Señor en el momento que fue fundado el matrimonio.

*«Por eso el hombre deja a su padre y a su madre, y se une a su mujer, y **los dos se funden en un solo ser»**.* Génesis 2:24 (NVI).

Esa era la relación que Lea deseaba tener con Jacob, de quien, a pesar de tener tres hijos, y vivir con él bajo un mismo techo, se sentía lejos y separada. Por lo que al ponerle por nombre a su tercer hijo: «únete a mi» o «conéctate conmigo» Lea le rogaba a Jacob diciendo: «Por favor únete a mí y conviértete en uno conmigo». Pero Jacob no se unió.

En este relato, vemos que el hecho de tener hijos de un hombre, no le garantiza a una mujer que ese hombre la mire, que la escuche o que se convierta en uno con ella. Esta verdad fue la que al final Lea comprendió, y el hecho de haberla comprendido, la hizo tomar la postura correcta para enfrentar su situación, como debía hacerlo desde un principio.

Porque luego de varios intentos fallidos, la misma Lea que vimos rogándole a Jacob que le prestara atención, que la amara, que la atendiera y que la valorara, fue la que le puso fin a ese capítulo y con la frente en alto, se dispuso a abrir otro.

Pero, ¿Qué hizo Lea esta vez? ¿Cuál fue la nueva forma que usó para manejar este asunto?.

Lea, quedó embarazada por cuarta vez, pero su estrategia de manejo ahora sería distinta, porque mientras que a su primer hijo le puso por nombre Rubén, que traducido es «mírame», al segundo le puso Simeón, que significa «escúchame», al tercero lo llamó Levi, cuyo significado es: «únete a mí», al nacer su cuarto hijo, le puso por nombre Judá, que según la traducción hebrea es «yejuda» y se traduce como: «esta vez alabaré a Jehová».

Al nombrar a su cuarto hijo «Judá», Lea estaba dejando claro y establecido lo siguiente: «Con este hijo, se abre en mi vida una nueva temporada, en la que aunque Jacob no me mire, aunque no me escuche y aunque no quiera unirse a mí, dejaré de preocuparme por lo que no puedo

72

cambiar, y me enfocaré en alabar a la Fuente de mi bendición, cuyo nombre es Jehová».

Así que, con su nueva actitud Lea nos da ejemplo de la forma como nosotras debemos responder ante las diferentes presiones que se presentan en nuestros matrimonios; cuando no recibimos lo que esperamos recibir de nuestros esposos o cuando las cosas en casa, no terminan del modo como trabajamos por años, para que terminaran.

No te dejes abrumar, ponle fin a ciertos capítulos y alaba a Jehová

Además de lo antes dicho, no creas que todo llegó a su fin, si tu jefe en vez de darte la promoción por la que tanto te esforzaste, decidió dársela a otro; no pienses que tu vida no tiene valor, cuando sientas que tu papá, ama más a tu hermana de lo que te ama a ti, o si ves que tu madre, trata a tu hermano con mayor afecto del que te muestra a ti; tampoco te desanimes al ver como después de hacer todo lo humanamente posible para ganarte el cariño y el respeto de una persona, nada funciona. No le des a nada de esto, el poder de frustrarte o amargarte la vida; simplemente usa la estrategia de Lea, ponle fin a esos capítulos y toma la decisión de alabar a Jehová.

Si te sientes cansada de ser ignorada, si ya estas harta de ser irrespetada o si te has dado cuenta que a ciertas personas no le agradas, es hora de cerrar capítulos y con una nueva actitud, dejar claramente establecido: Yo no necesito tener la atención de un humano para poder sentirme plena, no necesito que un hombre me escuche para sentirme valorada y aunque algunos no quieran unirse a mí, no dejare de sentirme amada. Porque me he dado cuenta, que de mi interior pueden salir alabanzas a mi Creador, que tengo acceso para comunicarme con la Fuente de donde salí, y que alabando a mi Dios, puedo sentirme amada, comprendida y apreciada. Porque su oído esta presto a mi alabanza y su Santo Espíritu, ha venido a ser «uno» conmigo.

Así que amiga que lees esto:

◈ Si te encuentras enferma y parece que para tu enfermedad no hay solución… **Alaba a Jehová.**

◈ Cuando los miembros de tu familia o tus amigos no entiendan ni acepten la relación que tienes con el Señor… **Alaba a Jehová**.

◈ Si fuiste abandonada por tu esposo y sientes que la tristeza y la soledad te presionan, recuerda: Dios te ha prometido que nunca te dejará ni te desamparará. Por tanto, sécate las lágrimas, levántate del piso y... **Alaba a Jehová**.

◈ Si eres madre soltera y no tienes quien te ayude con la crianza de tus hijos... **Alaba a Jehová**.

◈ Si trabajaste muchos años en una compañía de la que al final te despidieron... **Alaba a Jehová**.

◈ Si no tienes el dinero que necesitas para cumplir con los compromisos a los que debes hacer frente, deposita tu ansiedad en el Señor, deja que Él se encargue de lo que tú no puedes y... **Alaba a Jehová**.

◈ Si sientes que estas avanzada en edad, y aún no conoces a la persona con la que compartirás tu vida, confía en el cuidado del Señor para ti, no te desesperes y mientras esperas... **Alaba a Jehová**.

Porque experimentarás una gran descarga y liberación siempre que decidas conectarte con Dios y adorarle con todas tus fuerzas. Ya que mientras más te conectas con lo eterno, menos te preocupas por lo que es pasajero y mientras más profundizas en tu relación con el Señor, menos dependiente serás de las atenciones que puedan darte los hombres.

Tener intimidad con el Dios que te creó, te lleva a entender cuál es tu verdadera identidad. Y aunque todo externamente se encuentre gris, el «Sol de Justicia» que es Dios, siempre brillará dentro de ti.

«Porque, para ustedes que temen mi nombre, se levantará el Sol de Justicia con sanidad en sus alas. Saldrán libres, saltando de alegría como becerros sueltos en medio de los pastos». Malaquías 4:2 (NTV).

> Tener intimidad con el Dios que te creó, te lleva a entender cuál es tu verdadera identidad.

Mientras más conoces a Dios, más te das cuenta del gran valor que tienes para Él. Por eso cuando Lea entendió que debía cambiar el modo en el que estaba manejando las cosas, en vez de ponerle un nombre similar al de sus tres primeros hijos, a su hijo número cuatro le puso por nombre «Judá» y es de este hijo que sale la tribu de Judá, la más poderosa de todas las tribus de Israel. De la que, salieron ilustres reyes como David y Salomón, pero la más alta distinción que tuvo esta tribu, es que de ella vino el Mesías Jesucristo, el Salvador del mundo.

Así que quiero seriamente sugerirte que al igual que Lea, decidas a partir de este mismo momento «hacer que de ti nazca Judá» porque hasta que no hagas de tu vida «un altar andante de alabanza» siempre vas a necesitar que un humano te esté agasajando.

Y hasta que no pongas tu mirada en el Señor, andarás buscando la forma de hacer que el hombre te vea, que te escuche, que te entienda,

> Mientras más te conectas con lo eterno, menos te preocupas por lo que es pasajero.

que te diga el valor que tienes, que te diga si te ves bien, si lo que hiciste lo hiciste bien, y más cosas como estas. Pero cuando vuelves tu rostro a Dios y concentras tu vida solo en el Señor, te sentirás plena y entenderás que eres mucho más de lo que muchas de las personas que te rodean, han apreciado hasta este momento.

En otro orden, no es posible alabar a Jehová y al mismo tiempo estar preocupada por tus necesidades; no es posible que te sumerjas en la presencia del Señor, y que al mismo tiempo te sumerjas en ansiedad por lo que otros puedan estar hablando acerca de ti; y no podrás sentirte perturbada por las cosas que no puedes controlar, mientras alabas al Señor de todo corazón. Así que descansa en Dios y alábalo. Porque Él es nuestro Señor, nuestra Piedra Angular, nuestra Roca y del único que nuestra estabilidad debe depender.

Jamás edifiques lo que eres poniendo como fundamento a un hombre, porque si lo haces, tu firmeza solo durará hasta que ese determinado hombre decida alejarse y cuando se aleje, todo tu mundo (porque fue edificado sobre ese hombre) se desplomará. Esta es la causa por la que algunas personas tienen la osadía de decir a otras: «Si yo me voy de tu vida, todo lo que tú eres se viene abajo» porque piensan que son ellos (y no el Señor) el fundamento de esas determinadas personas.

> Hasta que no hagas de tu vida "un altar andante de alabanza" siempre vas a necesitar que un humano te esté agasajando.

Por lo que, en este día quiero que tengas bien claro lo siguiente: el hecho de que alguien haya decidido alejarse de ti, no quiere decir que tu «mundo» debe desplomarse, simplemente significa que debes afirmar tu vida sobre el fundamento correcto, que es Jesucristo, porque (a diferencia de los hombres) Él jamás se irá de tu lado, y se encargará de acompañarte, y sustentarte siempre.

*«Por eso Dios dice: «Yo seré para Jerusalén una piedra valiosa y escogida. Seré la piedra principal y serviré de base al edificio. **El que se apoye en mí, podrá vivir tranquilo».** Isaías 28:16 (TLA).*

78

Principios del Capítulo

1. Cuando el tiempo de Dios para que algo suceda aún no ha llegado, manipulando personas y cosas, solo lograremos producir caos, desastres y en ocasiones hasta retrasos, en lo que el Señor ha dicho que hará en su debido momento.

2. Cuando el reloj del cielo marca el tiempo señalado para el cumplimiento de algo, nada de lo que intente oponerse en la tierra, será capaz de detenerlo.

3. El desprecio que Jacob mostraba hacia Lea, fue lo que sirvió como detonante para que se manifestara la gracia y la defensa de Dios a su favor.

4. No importa cuánto te subestimen o te rechacen las personas que te rodean, cuando tienes de tu lado el favor y la gracia del Señor.

5. El hecho de tener hijos de un hombre, no le garantiza a una mujer que ese hombre la mire, que la escuche o que se convierta en uno con ella.

6. Experimentarás una gran descarga y liberación siempre que decidas conectarte con Dios y adorarle con todas tus fuerzas.

7. Mientras más profundizas en tu relación con el Señor, menos dependiente serás de las atenciones que puedan darte los hombres.

8. Tener intimidad con el Dios que te creó, te lleva a entender cuál es tu verdadera identidad.

9. Cuando vuelves tu rostro a Dios y concentras tu vida solo en el Señor, te sentirás plena y entenderás que eres mucho más de lo que muchas de las personas que te rodean, han apreciado hasta este momento.

10. Jamás edifiques lo que eres poniendo como fundamento a un hombre, porque si lo haces, tu firmeza solo durará hasta que ese determinado hombre decida alejarse de ti.

11. El hecho de que alguien haya decidido alejarse de ti, no quiere decir que tu «mundo» debe desplomarse, sino que debes reedificar lo que eres, teniendo como fundamento a Jesucristo.

Jael

Ataca el problema directamente en la cabeza

La historia de Jael, forma parte de un interesante relato incluido en el libro de los Jueces; y para establecer el debido fundamento, antes de la enseñanza principal que queremos resaltar de esta historia, comenzaremos diciendo que el tiempo en que gobernaban los jueces, fue un periodo que el pueblo de Israel vivió antes de ser gobernado por reyes. Periodo, en el que (según la Biblia) el pueblo hacia lo que mejor le parecía (Ver Jueces 17:6). Algo que por supuesto, hizo que tuvieran que enfrentar las debidas consecuencias.

Dios había formado la nación de Israel, para a través de ellos mostrar su gloria a todas las demás naciones. Pero los hijos de Israel, olvidaron el pacto que habían hecho con el Señor, y Él los entregó en manos de sus enemigos. Sin embargo, cuando en medio de su servidumbre, ellos clamaban a Dios para que los liberara, Él siempre levantaba alguien para que encabezara una campaña de liberación, y derrotara a los pueblos enemigos. A esas personas se les llamaban «jueces» y entre los más destacados de ellos, vemos a Gedeón, Sansón, y Jefté, pero además se encuentra también a una mujer llamada Débora.

Cuya historia se nos relata en el capítulo 4 del libro de los Jueces, diciendo que luego de la muerte del juez Aod, los hijos de Israel volvieron a hacer lo malo ante los ojos de Jehová y que por causa de esto, Dios los entregó a los cananeos, quienes tenían por rey a Jabin, y como capitán de su ejército, a Sisara, hombre de mano dura, que con novecientos carros herrados bajo su comando, había oprimido a Israel durante veinte años.

Pero que después de dos décadas de sufrimiento bajo este gobierno opresor, el pueblo clamó a Dios pidiéndole que los liberara, y como respuesta a esta petición, el Señor levantó a Débora de la tribu de Efraín, como jueza y profetisa. (Ver Jueces 4:1-5).

Según el contexto de la historia, en ese tiempo los hombres de Israel estaban demasiado temerosos y no organizados para la batalla. Por lo que Débora, luego de recibir orden de Dios, llamó a Barac y le dijo que convocara al ejército de las tribus de Neftalí y de Zabulón, en el monte de Tabor, porque Dios le había de entregar la victoria sobre el ejército enemigo. Barac estuvo de acuerdo en ir, pero sólo si Débora iba con él; ella accedió a ir, pero antes de hacerlo, hizo una predicción interesante, que muy a menudo es pasada por alto por muchos lectores y estudiantes de la Biblia. Débora predijo que por causa de ella ir con Barac, la victoria de la batalla, Dios la entregaría a través de una mujer.

> Dios había prometido que daría la victoria por mano de mujer, y así lo hizo.

«Barac le dijo: Yo iré, pero solo si tú vienes conmigo. Muy bien —dijo ella—, iré contigo. Pero tú no recibirás honra en esta misión, porque la victoria del Señor sobre Sísara, quedará en manos de una mujer». Jueces 4:8-9 (NTV).

Débora, es una de las varias mujeres que la Biblia señala como profeta, rango en el que también están: María la hermana de Aarón, la esposa de Isaías, Ana, Hulda, entre otras.

Por otro lado, están las mujeres que aunque no fueron profetisas, Dios las guió y las ayudó a realizar grandes hazañas a favor del pueblo como es el caso de Jael, cuyo nombre en hebreo es «ya'el» al igual que el nombre de un tipo de cabra montés, que se caracteriza por sobrevivir en terrenos secos y rocosos; que es tan rápida que resulta ser muy difícil de atrapar; y que además cuenta con una habilidad impresionante para moverse de un monte al otro, sin perder la estabilidad.

Ahora bien, a través de todo el Antiguo Testamento podemos ver cómo Dios puso herramientas de fe, en las manos de los libertadores de Israel para ayudarlos a derrotar a sus enemigos. En el caso de Sansón, fue la quijada de un burro (Jueces 15:16); mientras que el arma de guerra de Samgar, fue una aguijada de bueyes (Jueces 3:31); para David, fueron las piedras que tomó del arroyo (1 Sam. 17:40); para el poderoso Eleazar, fue su espada (2 Samuel 23:10); para Moisés fue su vara (Éxodo 4:17) y para Jael, la mujer de este relato, sus dos herramientas de guerra fueron un mazo y una estaca. Porque Dios había prometido que daría la victoria por mano de mujer, y así lo hizo.

«Y Jehová quebrantó a Sísara, a todos sus carros y a todo su ejército, a filo de espada delante de Barac; y Sísara descendió del carro, y huyó a pie. Mas Barac siguió los carros y el ejército hasta Haroset-goim, y todo el ejército de Sísara

cayó a filo de espada, hasta no quedar ni uno». Jueces 4:15-16 (RVR 1960).

Una vez Sísara vio destruido su ejército, se escapó y huyó a la tienda de Jael, creyendo que ella lo protegería de las tropas israelitas que lo perseguían. Jael era la mujer de Heber ceneo, y la decisión de Sísara de huir a este territorio se basó en un acuerdo de paz que existía con el rey Jabín y los ceneos (Ver Jueces 4:17).

Los ceneos eran herreros altamente capacitados, por lo que también Sísara pudo deducir que huyendo allí, se le garantizaría protección y cuidado durante el tiempo que fuera necesario para recuperarse y poder restablecer su ejército nueva vez. Así que Sísara entró en la tienda de campaña de Jael y le pidió que lo esconda debajo de una manta. Seguidamente le pidió agua y en vez de agua, ella le dio a beber leche, la que luego de haber tomado, agotado por la batalla, se quedó dormido, y fue en ese momento que Jael aprovechó la oportunidad para tomar la estaca y el mazo que se hallaban en su casa como (herramientas típicas de los herreros) para traspasar con estas, las cienes de Sisara. De esta manera, Jael usó lo que tenía en su casa, como arma de guerra para acabar con el enemigo.

En este punto cabe destacar que en los tiempos antiguos, el que un hombre fuera asesinado por una mujer, era considerado una vergüenza y deshonra, tanto para él como para sus descendientes vivos. (Ver Jueces 9:52-54).

Así se cumplió lo que el Señor había hablado a través de Débora, diciendo que en manos de mujer Él había de entregar a Sísara. Y aunque muchos consideran la acción de Jael como un vil acto de traición y engaño, respetando las diferentes opiniones que otros escritores puedan tener al respecto, nos limitaremos a resaltar la valentía y decisión de esta mujer para proceder a eliminar al enemigo del modo que lo hizo.

Causa por la que Débora entona un canto de agradecimiento mencionando en el mismo, a Jael como un instrumento escogido por Dios para entregar al pueblo la victoria.

«En los días de Samgar hijo de Anat, en los días de Jael, quedaron abandonados los caminos, y los que andaban por las sendas se apartaban por senderos torcidos. Las aldeas quedaron abandonadas en Israel, habían decaído, hasta que yo Débora me levanté, me levanté como madre en Israel. **Bendita sea entre las mujeres Jael, mujer de Heber ceneo**; *sobre las mujeres bendita sea en la tienda. Él pidió*

agua, y ella le dio leche; en tazón de nobles le presentó crema. Tendió su mano a la estaca, y su diestra al mazo de trabajadores, y golpeó a Sísara; hirió su cabeza, y le horadó, y atravesó sus sienes. Cayó encorvado entre sus pies, quedó tendido; entre sus pies cayó encorvado; donde se encorvó, allí cayó muerto». Jueces 5:6-7, 24-27 (RVR 1960).

A partir de este tiempo, al igual como ocurrió con Rahab y Rut (mujeres desconocidas que por causa de sus acciones fueron sacadas del anonimato) por causa de su hazaña Jael pasó de ser una simple anónima, a ser una heroína para todo el pueblo.

La historia de Jael nos deja diversas enseñanzas, entre las cuales están las siguientes:

◈ **Su victoria no era coherente con su trayectoria:**

Ella era una mujer nómada, sin nada en su trayectoria que sirviera como indicador de que sería capaz de acabar con la vida de un diestro capitán, altamente entrenado en la guerra como lo fue Sísara. Pero Dios es experto tomando lo común y lo simple para convertirlo en algo glorioso. Por eso el hecho de que sientas que eres sólo una persona ordinaria, es lo que te califica para ser usada por el Señor, de forma extraordinaria.

◇ **Estaba consciente del personaje que había entrado en su casa:**

Jael estaba muy consciente de quien era Sísara y decidió no desaprovechar la oportunidad de tener a este enemigo en su casa, para tomar las herramientas con las que contaba y traspasarle la cabeza. De igual modo, siempre que el Señor permita que ciertas cosas entren en nuestro territorio, nosotras también debemos tomar las herramientas que tenemos para atacarlas directamente en la cabeza, y librar así de la opresión que este mal pueda causar, a los demás miembros de nuestra casa.

> Muchas personas esperan recibir de afuera, lo que ellos deben sacar de dentro.

De hecho, es muy posible que en los actuales momentos te encuentres enfrentando cosas que antes hayan también atacado a otros miembros de tu familia, y Dios ha permitido que lleguen a ti, no solo para que las enfrentes, sino para que en el nombre de Jesús, las elimines por completo traspasándoles la cabeza. Porque tal como lo dijimos en el primer capítulo de este libro: «**Te conviertes en autoridad de aquello que vences, pero lo que te vence a ti, se convierte en autoridad tuya**». Por tanto, el pleito verdaderamente termina cuando la batalla, la ganas tú. Y precisamente, para que la ganes tú, el Señor ha puesto sobre ti la unción que pudre yugos, rompe cadenas y destruye la iniquidad desde la misma cabeza.

«Con tu fuerza puedo aplastar a un ejército; con mi Dios puedo escalar cualquier muro». Salmos 18:29 (NTV).

◈ **Usó las herramientas que se hallaban en su casa:**

Muchas personas esperan recibir de afuera, lo que ellos deben sacar de dentro; y para saber si eres una de ellas, te invito a hacer la siguiente consideración:

¿Alguna vez le has dicho a Dios, cosas como estas?: «Señor, si me dieras dinero, yo pudiera hacer esto o aquello» «Si viviera en otro lugar y no en este, las cosas fueran diferentes» o «Si tuviera las conexiones correctas, yo podría llevar a cabo tal proyecto».

Si tú respuesta es afirmativa, no te preocupes porque no eres la única. Hubo un tiempo en el que la persona que escribió este libro, también le dijo al Señor lo mismo.

Esto ocurrió cuando aún no me había lanzado como escritora y aunque muchas personas me pedían que escribiera, necesitaba estar totalmente convencida de que ésta tan importante faceta de mi ministerio, contaría con el respaldo absoluto del Señor, como todo lo que habíamos hecho para Él, hasta ese tiempo. Y justo en el año 2012, mientras pasaba por un muy difícil proceso que golpeó fuertemente mi vida, visité a mi mentor y padre espiritual, quien en ese momento era además mi obispo, para expresarle que la situación que estaba atravesando parecía ser mucho más de lo que yo entendía que era capaz de soportar. Y recuerdo que luego de escucharme hablar y verme llorar intensamente por causa de la terrible prueba que estaba atravesando, hizo un breve silencio y luego me dijo: «Hay una predicadora que quiero que escuches; y sé que cuando lo hagas, Dios la usará para hablar a tu corazón en medio de este proceso». Cuando él me dijo esto, de inmediato sentí cierta expectativa, mezclada con la esperanza de que verdaderamente Dios, usara a esta mujer para hablarme a pesar de lo mal que me sentía.

Por lo que inmediatamente le pregunte: ¿Cuál es su nombre para buscarla? Entonces, con una muy leve sonrisa me respondió: «Ella es mi predicadora favorita y tú la conoces; se encuentra sentada frente a mi ahora mismo».

Aquello fue muy inesperado para mí, pero además confieso que pocas veces en mi vida me había sentido tan confrontada como en ese momento. Sentí como si Dios mismo a través de él, me hubiese dicho: «Ahora no solo bastará con predicar buenos mensajes, sino que vas a tener que demostrar la autenticidad de lo que predicas, aplicando esos mensajes a tu propia vida».

Por lo que esa misma tarde al llegar a la casa (aunque pueda parecer absurdo) me dispuse a escuchar algunos de los mensajes que tenía grabados y fue como si el Señor hubiera tomado mi boca de forma previa para

> Cuando recibas un golpe de parte de las tinieblas, en vez de dejar que ese ataque te venza, devuelve el golpe.

instruirme en lo que debía hacer más adelante. Ya que, en uno de esos mensajes Dios, a través de mi boca decía: «Cuando recibas un golpe de parte de las tinieblas, en vez de dejar que ese ataque te venza, devuelve el golpe».

Hoy agradezco y doy toda la gloria al Señor por haberme guiado a esto, porque el haber escuchado aquella instrucción, verdaderamente me hizo sentir comprometida a tener que autentificar lo que decía, DEVOLVIENDO EL GOLPE. Sin embargo, necesitaba saber que era exactamente lo que esto representaría para mí, ya que para ese tiempo oraba tres horas al día, ayunaba dos veces por semana, memorizaba dos versículos al día y por sobre todas las cosas, buscaba siempre (como hasta ahora) vivir

> Cuando liberas lo que tienes, recibes lo que te hace falta.

una vida íntegra y agradable delante del Señor, dando testimonio de Él, en todo lo que hacía.

Así que en oración le pregunte a Dios, como debía yo DEVOLVER EL GOLPE y luego de varios días en oración, el Señor habló a mi corazón y dijo: «Quiero que el dolor que sientes ahora lo uses como contracciones para que hagas nacer tu primer libro. Escribe porque te respaldaré». Aquella palabra activó de manera sorprendente mi pasión por la escritura y jamás olvidaré como muchas veces mientras escribía, las lágrimas corrían por mi rostro y caían en el tablero del computador, pero de todas maneras yo me mantenía escribiendo. Y una noche, ore al Señor diciendo: «Dios mío, por favor permite que, así como han sido muchas las lágrimas que he derramado en medio de este proceso en el que me has ordenado escribir este libro, sean también muchos los testimonios que surjan por causa de la palabra que tú me estas indicando escribir».

Cuando la escritura del libro había terminado, el Señor me dijo: «Procede con la preparación del libro y programa el lanzamiento», algo con lo que una vez más mi fe estaba siendo probada, ya que la preparación de un libro consta de: corrección ortográfica, corrección de estilo, diagramación, diseño de portada e impresión, lo que al sumar daba un monto de dinero del cual yo carecía. Pero no obstante a esto, la indicación de Dios fue: «Prepara el libro y programa el lanzamiento». Por lo que volví a orar y dije: «Señor, tu sabes que no tengo ni siquiera el dinero para preparar el libro, entonces ¿Por qué me indicas que también programe un lanzamiento?». En ese momento, Dios hablo a mi corazón y me dijo: «Porque cuando liberas lo que tienes, recibes lo que te hace falta».

Esta palabra me dio la firmeza que necesitaba para ejecutar el mandato que había recibido y basada en ella, hice los debidos acuerdos con el corrector de estilo, el diagramador, el diseñador de portada y la imprenta, cubriendo (con los pocos recursos que tenía) solo una parte del costo del trabajo a los primeros dos, para completar el pago el día después del lanzamiento, cuando (según la palabra que había recibido de parte de Dios) también iba a poder pagar el monto total del costo del diseño de portada y el monto total del costo de la imprenta.

Y ahora, mientras escribo esto, les confieso que estoy sonriendo porque la promesa de pago que hice a esas personas (más que creyendo en que la venta del libro pudiera producir un monto capaz de cubrir todas esas deudas, el día del lanzamiento) la hice plenamente convencida de que por haber obedecido a la palabra que Dios me había dado, de algún modo en el transcurso de ese día, la provisión del cielo llegaría para yo poder cumplir con todos esos pagos.

Cuando llegó el gran día, tanto mi equipo de trabajo como yo, nos quedamos totalmente asombrados al ver la gran cantidad de personas que desde tempranas horas de la tarde hacían largas filas para adquirir «TE DESAFIO A CRECER» nuestro primer libro, que en la actualidad ha bendecido la vida de miles de personas alrededor del mundo y que pocos años luego de haber sido lanzado, se convirtió en «best seller» (éxito de librería) algo por lo que damos toda la gloria y reconocimiento al Señor.

Así que hoy te animo a que como hizo Jael, decidas usar las herramientas que tienes en «tu casa» y que además te atrevas a liberar lo que tienes, para recibir aquello que te hace falta.

EL SIMBOLISMO DE LA CABEZA

La cabeza, siempre ha sido un símbolo de autoridad, y en términos espirituales se aplica tanto al reino de Dios, como al reino de Satanás. Un ejemplo interesante sobre esto, lo encontramos cuando Jezabel la esposa de Acab, amenazó con decapitar al profeta Elías, por haber dado muerte a los cuatrocientos cincuenta profetas de Baal. (Ver 1 Reyes 19). Luego en el Nuevo Testamento, el espíritu demoniaco que operaba en Jezabel, reaparece cuando la hija de Herodías, bailó para Herodes lascivamente y por causa del encantamiento satánico que se le activó en ese momento, el rey prometió a la joven darle todo lo que ella pidiera, aun si fuera la mitad de su reino.

*«Entonces la hija de Herodías se presentó en la fiesta y bailó, y tanto agradó esto a Herodes y a los que estaban con él a la mesa, que el rey le dijo a la muchacha: «Pídeme lo que quieras, y yo te lo daré.» Y bajo juramento le dijo: «Yo te daré todo lo que me pidas, ¡aun si me pides la mitad de mi reino!» Ella salió y le preguntó a su madre: «¿Qué debo pedirle?» Y su madre le respondió: «¡**Pídele la cabeza de Juan el Bautista!**».* Marcos 6:22-24 (RVC).

Un punto digno de resaltar, tanto en el caso de Elías, como en el caso de Juan el bautista, es que aunque el ataque vino a través de dos mujeres distintas, el espíritu que las usó, era el mismo; uno que se revela ferozmente, en contra de quien se atreve a retar su malignidad y que busca dejar sin cabeza a aquellos que representan una amenaza para sus intereses.

Por otro lado, debemos considerar el hecho de que tanto Elías, como Juan el Bautista eran líderes que representaban una autoridad en el mundo espiritual, lo que claramente nos revela que este «espíritu» tiene un interés especial en quienes son cabeza y tienen autoridad en el mundo espiritual.

Pero esto no solo pasó con estos casos bíblicos, sino que también en la actualidad podemos ver como este mismo «espíritu», opera sagazmente a través de todo el que le abre una brecha, para enredar con sus satánicos encantos a pastores y líderes dentro de la iglesia y hacer que no sólo sean afectados ellos, sino también sus familias y las congregaciones de las que Dios les ha hecho cargo.

En todas partes hay una mujer destinada a destruir a un hombre de Dios; y en todo lugar hay un hombre, siendo adiestrado para arruinar el ministerio de alguna mujer usada por el Señor.

Porque Satanás conoce y aprovecha muy bien esta verdad: «Si se hiere al pastor, las ovejas se dispersan». (Marcos 14:27).

Por lo que, de manera estratégica, este es el mismo principio bajo el que también nosotros debemos operar en cada una de nuestras batallas, identificando la cabeza o la raíz de nuestros conflictos y desarraigando el mal, desde la misma fuente de donde procede.

Comencé a ejercer el ministerio pastoral a la edad de 17 años, y en todos estos años de labor ministerial, me he dado cuenta que en la mayoría de conflictos que enfrenta la gente, el enemigo trabaja para que ellos no vean la raíz de sus luchas, y los lleva a enfocarse solo en los elementos superficiales de la misma; evitando así que identifiquen la corriente que verdaderamente les está sacudiendo el barco. Lo que, para comprender mejor te invito a observar los siguientes ejemplos:

◈ Muchos consideran que las deudas que tienen son su problema, cuando el origen de estas, suelen ser los impulsos no controlados, el deseo de competir con otros, o la falta de orientación a la hora de tomar decisiones que tengan que ver con sus finanzas. Incluso a veces, la raíz del endeudamiento puede venir por causa de la pereza hacia el trabajo, por negligencia, o por un alto nivel de dependencia en lo que se recibe de otros. En estos casos, en vez de enfocarse solo en las deudas que tiene, la persona debe reconocer cual es la causa real de la situación y enfrentarla del modo correcto.

◈ Muchos creen que la rebeldía que muestran sus hijos son el problema, cuando a veces la raíz de la rebelión de ellos puede venir de las personas con las que se relacionan, ser producto de una reacción ante una crisis determinada o surgir de alguna presión que tengan en su hogar, como la separación o el divorcio de sus padres. Incluso, la rebeldía que muestran algunos jóvenes, a veces es un grito desesperado por recibir la atención que no reciben de sus padres, la cual tienden a buscar de modo incorrecto. De hecho, la palabra hebrea para «rebelión» es «meri» la que también significa amargura o amargo. Y para estos casos la «estaca» de la oración, es la que puede traspasar la cabeza de este mal. Porque solo a través de la oración, se quebrará esta opresión y los padres recibirán la debida instrucción para desempeñar su rol del modo correcto.

NO PIERDAS TU AUTORIDAD, POR CAUSA DEL PECADO

El pecado se lleva a cabo cuando la voluntad de hacer el bien, es cambiada por la intención de hacer el mal.

El pecado voluntario y premeditado es el peor tipo de pecado, porque difiere del que es cometido bajo presión.

La repetición intencional del pecado sin arrepentimiento, es lo que hace que el corazón de la persona se endurezca y cierre su oído al consejo que le da el Señor a través de su Palabra, y a través de otras personas.

«Ellos no saben la diferencia entre el bien y el mal. Es como si su entendimiento hubiera sido quemado con hierro candente». 1 Timoteo 4:2 (PDT).

El enemigo no puede robarnos nuestra autoridad espiritual, pero nosotros a través de la práctica continua del pecado, podemos entregársela.

> El pecado se lleva a cabo cuando la voluntad de hacer el bien, es cambiada por la intención de hacer el mal.

Satanás quiere que solo te enfoques en el placer carnal que te ofrece, cuando su verdadero plan por medio de eso, es traer a tu vida muerte, destrucción y ruina.

Finalmente, quiero referirme a las personas que en vez de renunciar y romper con todo habito pecaminoso, tratan de mantener públicamente una «reputación» que no puede ser sustentada con su vida privada.

La gracia y la unción de Dios, no fluirá a través de aquellos que se rehúsan a abandonar el pecado quienes, al no tener la unción del Espíritu, proceden a hacer uso de las «fórmulas» que ya conocen, para mantener el cargo, la posición o la reputación por la que la gente les reconoce, pero esto sólo les funciona hasta que Dios decide desenmascararlos.

Por otro lado, el reino de las tinieblas conoce y solamente se somete a las personas que andan en orden e integridad. Como ejemplo de esto tenemos a Pablo, cuya unción y autoridad quedó demostrada al punto de que aún con los paños y pedazos de telas que le llevaban para que los tocase, cuando eran puestos sobre los enfermos y endemoniados, al instante eran sanados y liberados. (Ver Hechos 19:11-12).

Pero mientras esto acontecía con Pablo, un grupo de siete exorcistas judíos, todos hijos de un sacerdote llamado Esceva, quedaron tan impresionados con él, que hallando a un hombre poseído por un demonio, aplicaron sobre él, lo que ellos vieron hacer a Pablo. Pero carentes de la unción y del poder que éste tenía, decidieron hacer uso de la «formula».

Así que basados en «fórmula», sus palabras fueron las siguientes: «*¡En el nombre de Jesús, a quien Pablo predica, les ordeno que salgan!*». *El endemoniado los miró y respondió:* «**Conozco a Jesús, y sé quién es Pablo, pero ustedes ¿quiénes son?**». *Luego se abalanzó sobre los siete hombres, los dejó desnudos, y los hizo huir heridos.* Hechos 19:13-16 (NVI).

Resulta interesante ver como estos exorcistas ambulantes pensaron que con solo decir lo que Pablo decía, podían hacer lo que él hacía. Pero contrario a esto, fueron avergonzados; Porque en vez del espíritu inmundo salir de aquel cuerpo (luego de haber golpeado y desnudado a aquellos hombres) hizo que los que salieran huyendo fueran ellos.

> El reino de las tinieblas conoce y solamente se somete a las personas que andan en orden e integridad.

En esta historia queda confirmado que, si lo que decimos con nuestra boca, no está certificado por medio de nuestras acciones, son solo simples palabras carentes de efectividad.

Así que no juegues con el pecado ni pienses que puedes salir airoso mostrando en público, lo que realmente no eres en privado, porque tarde o temprano sino te arrepientes serás desenmascarado. A esto hace referencia el proverbista al decir:

«*¿Tomará el hombre fuego en su seno sin que sus vestidos ardan? ¿Andará el hombre sobre brasas sin que sus pies se quemen?*». Proverbios 6:27-28 (RVR 1960).

Principios del Capítulo

1. El hecho de que sientas que eres sólo una persona ordinaria, es lo que te califica para ser usada por el Señor, de forma extraordinaria.

2. Los mensajes que predicamos deben ser autentificados aplicándolos a nuestra propia vida.

3. En todas partes hay una mujer destinada a destruir a un hombre de Dios; y en todo lugar hay un hombre siendo adiestrado para arruinar el ministerio de alguna mujer, usada por el Señor.

4. Muchos consideran que las deudas que tienen son su problema, cuando el origen de estas, suelen ser los impulsos no controlados, el deseo de competir con otros, o la falta de orientación a la hora de tomar decisiones que tengan que ver con sus finanzas.

5. La rebeldía que muestran algunos jóvenes, a veces es un grito desesperado por recibir la atención que no reciben de sus padres, la cual tienden a buscar de modo incorrecto.

6. La oración, hace que se quiebre la opresión y trae a los padres la debida instrucción para desempeñar su rol del modo correcto.

7. El pecado voluntario y premeditado es el peor tipo de pecado, porque difiere del que es cometido bajo presión.

8. La repetición intencional del pecado sin arrepentimiento, es lo que hace que el corazón de la persona se endurezca y cierre su oído al consejo que le da el Señor a través de su Palabra, y a través de otras personas.

9. Satanás quiere que solo te enfoques en el placer carnal que te ofrece, cuando su verdadero plan por medio de eso, es traer a tu vida muerte, destrucción y ruina.

10. La gracia y la unción de Dios, no fluirá a través de aquellos que se rehúsan a abandonar el pecado, quienes, al no tener la unción del Espíritu, proceden a hacer uso de las «fórmulas» que ya conocen, para mantener el cargo, la posición o la reputación por la que la gente les reconoce.

11. Si lo que decimos con nuestra boca, no está certificado por medio de nuestras acciones, son solo simples palabras carentes de efectividad.

12. No juegues con el pecado ni pienses que puedes salir airoso mostrando en público, lo que realmente no eres en privado, porque tarde o temprano sino te arrepientes serás desenmascarado.

Rut

*Para tomar lo que está delante, debes
soltar lo que quedó atrás*

El nombre de Rut significa «compañera fiel o buena amiga», y aparte de la mujer descrita en Proverbios 31, es la única a la que en toda la Biblia se le llama «mujer virtuosa» (ver Rut 3:11). Pero esta descripción no tuvo mucho que ver con su origen, sino con las buenas decisiones que tomó durante el trayecto de su vida, las que además la conectaron con el glorioso destino que Dios le había reservado.

Su tierra natal fue Moab, una nación pagana e idólatra cuyo «dios» era Quemos, ídolo a quien los moabitas rendían culto; y en veneración a él, sacrificaban a sus hijos arrojándolos al fuego. (Ver 2 Reyes 3:27).

Basándonos en esto, podemos deducir que tanto la mentalidad como el corazón de los moabitas, estaban totalmente contaminados, cegados y distorsionados. Porque una sociedad capaz de sacrificar a sus hijos en el fuego para satisfacer las exigencias de su sistema idólatra, es una que no tiene el más mínimo concepto de valor hacia la familia. Fue aquí que nació, y tuvo lugar gran parte de la historia de la vida de Rut. En esta tierra cuya atmósfera estaba altamente cargada de hostilidad y perversidad.

Pero, ¿Cuál es la historia de esta nación? El origen de Moab, surgió cuando cientos de años atrás a Lot, el sobrino de Abraham le fue dado aviso del juicio que vendría sobre Sodoma, para que huyera de ese lugar al junto de su familia. Sin embargo, mientras salían la esposa de Lot miró hacia atrás y se convirtió en una estatua de sal (Ver Génesis 19:26) mientras que él, en compañía de sus dos hijas continuaron la marcha, y una vez fuera de aquella tierra, se refugiaron en las montañas. Estando allí, las hijas de Lot pensaron que su padre y ellas dos, eran las únicas personas que quedaban en la tierra. Por lo que, con el fin de extender la descendencia, tomaron la decisión de emborrachar a Lot, durante dos noches consecutivas y ambas dormir con él; una la primera noche y la otra, la segunda.

Luego de este acto de incesto, las dos hijas quedaron embarazadas; la menor tuvo un hijo al que puso por nombre Amón o Ben-Amí, del cual surgieron los amonitas, y la mayor tuvo un hijo al que puso por nombre Moab, del cual surgieron los Moabitas. Así se originaron estas dos naciones, las cuales llegaron a ser enemigas acérrimas de Israel. De hecho, acerca de la nación de Moab, se hizo la siguiente pronunciación: «*Miedo, hoyo y lazo sobre ti, oh morador de Moab, dijo el Señor*». Jeremías 48:43 (JBS)

Por otro lado, Elimelec cuyo nombre significa «Dios es Rey» y Noemí cuyo nombre significa «Dulzura», vivían en su pueblo natal que era Belén, y por causa de una hambruna que había visitado al pueblo, se fueron con sus dos hijos, Mahlon y Quelion a morar a los campos de Moab.

El nombre de Mahlon tiene como significado «lánguido», causa por la que algunos escritores han argumentado que pudo haber sido prematuro. Mientras que el nombre de Quelion significa «enfermo», y estando en Moab, murió Elimelec y luego de su muerte, ambos de sus hijos se casaron con mujeres moabitas; la esposa del mayor fue Orfa, y la esposa del menor fue Rut.

Luego de aproximadamente diez años de contraer matrimonio, los dos hermanos murieron; quedando viuda no sólo Noemí, sino también Orfa y Rut, sus dos nueras.

Pasada la muerte de los tres hombres de esta familia, Noemí escuchando que Dios había visitado a Belén para darles pan, decidió volver allá y al emprender el viaje, ambas nueras se fueron con ella, pero en el camino Noemí se detuvo para exhortarles que regresaran a Moab, que retornaran al lugar donde estaban sus raíces, familias, costumbres y amigos, porque allá habrían de encontrar marido.

Al oír esto, ambas nueras lloraron y se negaron a volver, pero Noemí insistió. Entonces Orfa se despidió con un beso, pero Rut se quedó con ella. Y cuando Noemí le insistió para que al igual que su otra nuera, volviera a su lugar de origen, ella enfáticamente le respondió:

Son muy pocas las personas que hoy día reconocen y valoran a quienes Dios les ha asignado para formarlos e instruirlos.

«¡No insistas en que te abandone o en que me separe de ti! Porque iré a donde tú vayas, y viviré donde tú vivas. Tu pueblo será mi pueblo, y tu Dios será mi Dios. Moriré donde tú mueras, y allí seré

sepultada. ***¡Que me castigue el Señor con toda severidad si me separa de ti algo que no sea la muerte!».*** Rut 1:16-18 (NVI).

¡Esto suena poderoso! y resulta ser aún más digno de admiración cuando recordamos que Noemí, por causa de todo lo que había vivido se había convertido en una persona amargada. Algo que ella misma revela cuando hace su regreso a la tierra de Belén. (Ver Rut 1:20).

En este punto, cabe señalar que son muy pocas las personas que hoy día reconocen y valoran (como lo hizo Rut) a quienes Dios les ha asignado para formarlos e instruirlos, sobre todo si son personas aparentemente complicadas y difíciles. Otro ejemplo de esto, tenemos con Eliseo que aunque siendo Elías un hombre sujeto a pasiones, lo consideró y lo honró como una persona de alto valor para el cumplimiento de su destino.

Por tanto, tomemos como ejemplo la vida de Rut y de Eliseo, y no dejemos que nada nos separe de las conexiones divinas que Dios ha dispuesto para nosotros; obviemos sus defectos y enfoquémonos en todo lo que podamos aprender de ellos. Porque aun, el mal carácter que en ocasiones puedan mostrarnos, será usado por Dios para formarnos.

«Si tu jefe se enoja contigo, ¡no renuncies a tu puesto! Porque el espíritu sereno puede superar grandes errores». Eclesiastés 10:4 (NTV).

Rut, no escatimó los efectos adversos que pudiera tener el hecho de seguir a una mujer amargada como lo era Noemí porque la amaba, la honraba y estaba dispuesta a dejar que Dios la usara como el puente, para llevarla al destino que con el fin de alcanzar, había decidido dar la espalda a la tierra de Moab. Porque, aunque allí estaba su origen, este lugar solo representaba para ella dolor, pecado y muerte.

Al igual que Rut, muchas son las personas que tendrán que dar la espalda a lo que vivieron atrás, para poder conquistar lo que tienen delante. Ya que, por causa de ciertos acontecimientos pasados, hoy se encuentran amargados, oprimidos y estancados.

¿Eres tú una de ellas? ¿Hay en tu pasado cosas que hubieras querido que nunca acontecieran? ¿Pasaste por alguna situación difícil y aún no te has desprendido del dolor que te causó?

De ser así, es necesario que entiendas que independientemente de lo difícil que haya sido lo que viviste, no tuvo el poder para matarte porque si así hubiese sido, no te encontraras leyendo esto. Entonces, si no pudo eliminarte dale gracias a Dios, porque como quizás ya has oído: «*Todo lo que no te mata, te hace más fuerte*».

Sin embargo, puede que al leer esto digas: «¡Qué fácil es para usted hablar de esa forma! Cuando no tiene idea de todo lo que me ha tocado atravesar». En cuanto a esto te diré, que por causa de yo misma haber pasado por situaciones que Satanás apostó que me destruirían, es que hoy con toda firmeza y seguridad te puedo decir: «**Es posible superarlo, no tienes que quedarte caída; aprende a soltar y dejar ir**». Porque aunque no sea fácil, siempre será posible cuando decides que esas situaciones sean solo parte de un «capítulo» y no el final de tu historia.

> Muchas son las personas que tendrán que dar la espalda a lo que vivieron atrás, para poder conquistar lo que tienen delante.

Una de las razones por la que a muchos se les dificulta dejar atrás el pasado, es la tendencia que tienen de aferrarse a lo que para ellos resulta ser familiar. Causa por la que rechazan lo que tienen delante, aunque sea mucho mejor que lo que quedó atrás.

Y tú, ¿Estás lista para dejar atrás tu pasado? ¿Estás preparada para emprender la conquista de lo nuevo que Dios tiene para ti?

No le des a tu «ayer» el poder de determinar tu «mañana», ni permitas que el lugar de dónde vienes, determine el lugar a donde vas. Porque más importante que como inicias, será siempre el modo como decides terminar.

Por tanto, decide ser de aquellos que sin importar cuanto les haya golpeado el pasado, se disponen a llevar a las manos del Señor sus pedazos, para que Él haga con ellos una obra de arte.

> Más importante que como inicias, será siempre el modo como decides terminar.

La decisión de Rut de salir de Moab, fue la más importante de toda su vida; y la decisión de dejar atrás tú pasado, es la más importante de toda la vida tuya.

En este punto debemos resaltar, que dejar atrás el pasado no siempre significa desprenderse de los aspectos negativos del mismo. Ya que para muchos su lucha radica en quitar la mirada de sus éxitos y victorias pasadas, para ir rumbo a nuevas conquistas.

En ese mismo orden, están los que se aferraron a un tiempo de su vida en el que todo parecía estar estable, y en el que había personas que formaban parte de esa «estabilidad» que ya no están, por lo que ahora ellos creen que si todo no vuelve a ser como antes, su vida carece de sentido.

Algo que por supuesto no es verdad sino una gran mentira que Satanás busca tejer en la mente de las personas, a la que para poder hacer frente debemos tener presente los siguientes principios:

◈ Todo lo que en un tiempo tuviste te fue dado por el Señor, y aunque todo en un tiempo se vaya te queda quien te lo dio, y tiene todo el poder de hacer nuevas todas las cosas. Amen

◈ En ocasiones, Dios hará que algunas personas se alejen de ti por un tiempo, para luego traerlas a ti en una versión mejorada. Mientras que en otras ocasiones, será a ti, que Dios te llevará a un nivel nuevo antes de volver a dártelas.

◈ Cuando el alejamiento de alguien o la negación de algo haya sido permanente, agradece a Dios por el tiempo que lo tuviste y recuerda que a veces, a lo que tu llamas pérdida, el cielo le llama creación de espacio.

*«Porque **Dios hace que todas las cosas cooperen para el bien de quienes lo aman** y son llamados según el propósito que él tiene para ellos»*. Romanos 8:28 (NTV).

> A lo que tu llamas pérdida, a veces el Cielo le llama creación de espacio.

Así que, sea cual sea tu situación pasada, aprende a dar la espalda a lo que quedó atrás y deja que la mano del Señor te guíe hacia lo que se encuentra delante. Porque si tratas de moverte hacia delante mientras tienes tu vista hacia atrás, tus pasos serán inestables, no podrás mantener el balance y en cualquier momento caerás.

Uno de mis pasajes favoritos, es en el que Pablo hablando a los filipenses, dice lo siguiente: *«Hermanos, no considero haber llegado ya a la meta, pero esto sí es lo que hago: me olvido del pasado y me esfuerzo por alcanzar la meta que Dios me ha puesto delante»*. Filipenses 3:13 (PDT).

Esto realmente me inspira porque el término «olvidar» utilizado en este pasaje según la traducción griega es: «hacer perder de la mente». Lo cual denota una acción que Pablo decide llevar a cabo y lo logra.

El modo como pensamos, determina lo que somos. Ya que, de nuestros pensamientos surgen nuestras acciones; de las acciones se crean los hábitos; de los hábitos se forma el carácter; y por nuestro carácter, esta determinado nuestro destino. (Ver Proverbios 23:7).

En otro orden, no pienses en vengarte de las personas que el adversario haya usado para dañarte. Porque aunque parezcan ser tus enemigos, son solo colaboradores de los planes que Dios tiene contigo. Por tanto, tus «enemigos» no son el problema. Por el contrario, tu verdadero problema son a veces los que solo buscan tu bienestar, desde el punto de vista humano. Observemos este ejemplo:

«Desde entonces comenzó Jesús a declarar a sus discípulos que le era necesario ir a Jerusalén y padecer mucho de los ancianos, de los principales sacerdotes y de los escribas; y ser muerto, y resucitar al tercer día. Entonces Pedro, tomándolo aparte, comenzó a reconvenirle, diciendo: **Señor, ten compasión de ti; en ninguna manera esto te acontezca».** Mateo 16:21-22 (RVR 1960).

En este punto, es importante recordar que Pedro estaba contado entre los amigos de Jesús, entre los que buscaban su «bienestar». Pero Jesús, identificando la fuente de dónde venían esas palabras, en vez de agradecer a Pedro su deseo de «cuidarlo», lo reprendió severamente diciendo: *«¡Aléjate de mí, Satanás! Representas una trampa peligrosa para mí, porque ves las cosas solamente desde el punto de vista humano y no desde el punto de vista de Dios».* Mateo 16:23 (NTV).

Por otro lado, recordemos que Judas era considerado como el traicionero y el enemigo, pero en el momento que éste se disponía a llevar a cabo su traición, Jesús le dijo: ***«Amigo, adelante con tus planes...».*** Mateo 26:50 (DHH).

Por lo que resulta interesante observar como a su «amigo» Pedro, en ese momento tan crucial de su proceso, el Señor le llama «Satanás» y al «traicionero» Judas, le llama «amigo». Respecto a esto, he dicho en otras ocasiones que aunque algunos opinan que esto pudo haber sido una ironía de parte del Señor, yo no lo comparto porque Jesús nunca fue irónico. Lejos de esto, lo que esta expresión demuestra, es que aun estando en la tierra como humano, Él veía las cosas exactamente del modo como las veía su padre Dios.

> Los que a veces llamas "enemigos", son en realidad los mejores amigos de tu propósito.

Por esto en el momento que Judas entregó a Jesús, aunque todos lo vieron como un traidor, Jesús lo vio cómo su amigo. Porque sin Judas no hay traición, sin traición no hay arresto, sin arresto no hay azotes, sin azotes no hay cruz, sin cruz no hay muerte, sin muerte no hay resurrección, y sin resurrección no hay victoria.

Aquí queda demostrado que los que a veces llamas «enemigos», son en realidad los mejores amigos de tu propósito. Por lo que en medio de tus procesos, tu no necesitas gente que te tenga pena sino, que puedan ver las cosas de acuerdo a los planes y propósitos que Dios tiene para ti. Porque Dios jamás permite que sus hijos sean afligidos ni entristecidos de balde. (Ver Lamentaciones. 3:33).

RENUNCIA A LA MENTALIDAD DE VÍCTIMA

Las personas con mentalidad de víctimas son las que siempre culpan a otros de sus acontecimientos, diciendo: «No soy feliz porque la persona que está a mi lado no me hace feliz» o «No puedo avanzar porque en el lugar que me encuentro no me lo permiten». Lo que verdaderamente no corresponde con su realidad, porque Dios nunca pondrá nuestro destino en manos de alguien más que no sea Él y luego nosotros mismos.

Por lo que en vez de ceder a otros el poder de controlar tu vida, haz uso del dominio propio que el Señor te ha otorgado a ti.

«Porque no nos ha dado Dios espíritu de cobardía, sino de poder, de amor y de dominio propio». 2 Timoteo 1:7 (RVR 1960).

Una de las cosas que el Señor me ha permitido desarrollar es la capacidad de ignorar todo lo que tiene potencial para estancarme, porque he hecho pacto con Dios de que sin importar lo que se levante, yo daré fruto para Él hasta el último día de mi vida.

De hecho, al momento que escribo este libro me encuentro pasando por una situación que llevo más de seis años esperando que se resuelva, pero ni aún a este largo y difícil proceso le he dado el poder de paralizarme. Porque a pesar de que desde el principio ha sido muy doloroso y ha involucrado traición, deslealtad, diferentes tipos de engaños, diversos abusos en su mayor expresión, y un muy largo tiempo de soledad, que el enemigo no ha dejado de aprovechar para ofertarme diversas formas de escapar del mismo; cada vez que oro a Dios por esto, lo único que me dice es: «Espera porque será mi mano y no la tuya la que te sacará de esto». Y aunque ciertamente la espera no ha sido fácil, y tengo todos los derechos legales para salir de esto por mi propia cuenta, he puesto a los pies de Dios mis derechos y he decido hacer que en mi vida, solo tenga lugar su perfecta voluntad. *Amén*

Y si tú al igual que yo, estas esperando ver la mano de Dios moverse en algo, a continuación te comparto algunos principios que debes poner en practica durante el tiempo de espera. *OK 3/10/2020*

CUATRO COSAS QUE DEBES HACER MIENTRAS ESPERAS

1. Pásale inventario a tu vida y dale valor a lo que te queda: Al observar la historia de Rut con detenimiento, podemos ver un principio digno de ser aplicado en nuestro tiempo de espera; y es que aunque ella no tenía esposo, ni quien la cuidara, no se enfocó en lo que necesitaba, sino en quien la necesitaba; no se detuvo a ver quién podía hacer algo por ella, sino que puso la mira en alguien por quien ella podía hacer algo. En otras palabras, Rut le paso inventario a su vida y vio que alrededor de ella le quedaba algo, alguien a quien darle su amor, aprecio y valoración. Ese alguien era Noemí, y fue el cuidado y la valoración que mostraba hacia su suegra, lo que sirvió de puente para llevar a Rut a alcanzar el glorioso destino que Dios había reservado para ella. *Y para mí también*

Muchas son las mujeres que hoy día, por causa de lo que les hace falta han dejado de apreciar lo que aún les queda. Tal es el caso de aquellas que han sido abandonadas por sus maridos, y han permitido que esto las drene y las consuma de tal manera, que ahora sus hijos no solo tienen ausente al padre, sino que técnicamente también tienen ausente la madre; ya que por causa de su dolor, no pasa tiempo con ellos y si lo hace, es con una actitud amargada e indiferente. Algo que resulta ser altamente injusto para los hijos, porque cualquier proceso de separación de los padres, suele afectarlos severamente y ellos no siempre cuentan con la debida madurez para hacer frente a estos procesos, pero siempre esperan recibir de la parte que les queda, el soporte necesario para ayudarles a enfrentarlo.

> Hay alguien a tu alrededor que te necesita, y hay algo en tu entorno a lo que puedes dedicarte.

Por lo que, si eres una de estas mujeres, te animo a que hoy mismo renuncies a esa actitud y decidas buscar al Señor con todo tu corazón. Porque en la presencia de Dios, tus heridas serán sanadas y tus fuerzas serán renovadas, para que puedas enfocarte y dar lo mejor de a ti, a lo que todavía te queda.

Tengo

Pero si aún no tienes hijos, ni tampoco cuentas con una suegra como la que tenía Rut, identifica con detenimiento ¿Qué es lo que aún te queda? Porque, aunque no lo hayas notado, hay alguien a tu alrededor que te necesita, y hay algo en tu entorno a lo que puedes dedicarte.

Y fue el hecho de Rut comprender esto, lo que hizo que su fama de mujer virtuosa creciera por toda la aldea, hasta llegar a oídos de un hombre rico y bondadoso llamado Booz quien más adelante se convirtió en su esposo y procreó a Obed, el abuelo de David, de quien vino el linaje de Jesucristo. *hermoso*

Fue así como el buen proceder de Rut (a quien en un momento de su vida parecía no quedarle nada) la hizo convertirse en la persona más ilustre y destacada de toda la tierra de Moab. Además de llevarla a ser una de las cuatro mujeres mencionadas en la genealogía de Cristo.

Por tanto, durante el tiempo de espera, pasa inventario a tu vida y da lo mejor de ti, a lo que todavía te queda. Porque por los esfuerzos que haces hoy, serás reconocida en el día de mañana. *Amen 3-16-2020*

2. Utiliza la espera como un tiempo de entrenamiento: El tiempo de espera, no tiene que ser uno en el que toda tu vida sea puesta en pausa, sino que puedes aprovecharlo para hacer muchas cosas. Entre ellas: afirmar alguna área de tu vida en la que te hayas descuidado o fortalecer relaciones de familia o de amigos de los que te hayas desconectado; también puedes emprender un proyecto o desarrollar algún habito que contribuya con tu bienestar, como hacer ejercicios, leer libros o aprender algún idioma u oficio. En fin, el hecho de que te encuentres esperando ver la manifestación del Señor en algo, en ninguna manera debería ser causa de que te conviertas en una persona infructuosa e improductiva.

> Por los esfuerzos que haces hoy, serás reconocida en el día de mañana.

Las personas cercanas a mí, sobre todo mi familia y equipo de trabajo, saben que una de las cosas a la que soy totalmente intolerante es a la falta de productividad y la pérdida de tiempo. Es por esto que mientras hago cualquier línea en alguna estación de servicio siempre estoy leyendo un libro o tomando apuntes para cualquier conferencia o capacitación que deba dar. Todas las horas que paso en los aviones y en los aeropuertos las uso para escribir o para la planificación de los diferentes proyectos con los que trabajo, y cuando en el avión tengo wifi, lo utilizo para dar consejería a los miembros de la iglesia que pastoreo y comunicarme con los líderes que trabajan conmigo.

De este modo, procuro siempre sacar provecho de cada hora que tengo en el día, sin importar lo que haga o donde me encuentre. Incluso cuando estoy en mi tiempo de oración, siempre tengo una libreta y un lapicero a mi lado para tomar apuntes inmediatos de todo lo que mientras oro, el Señor me va indicando hacer.

La causa de esto, es que conozco el valor del tiempo, y sé que muchas cosas en la vida, al perderse pueden volver a ser remplazadas pero el tiempo, no es una de ellas. De modo que un día que desperdiciamos, es un día que jamás podremos volver a recuperar.

Pero como antes comenté, esto no significa que no esté a la espera de ver la manifestación de la promesa que el Señor me ha dado; solo significa que yo tomé la firme decisión de producir continuamente con mi vida, los resultados que el Señor espera de mí, y no dejar que esos resultados se paralicen durante el tiempo que yo me encuentro esperando en Él.

De igual modo, te animo a que saques el mayor provecho de tu tiempo y utilices la espera para llevar tu vida a un mayor nivel de desarrollo, mientras llega tu momento.

Porque Dios no está preparando tus bendiciones, te está preparando a ti para que cuando las recibas las puedas manejar del modo correcto. *Gracias Abba*

3. **Actúa como lo que ya Dios dijo que vas a ser:** A diferencia de los hombres, que primero dicen y después hacen, Dios, primero hace y después dice. (Ver Isaías 46:10).

Así que cuando recibes de Él una promesa, puedes tener la plena certeza de que si te mantienes en obediencia, ciertamente lo que Dios ha dicho que hará contigo, se cumplirá. Por esta causa, lo tercero que puedes hacer mientras esperas es comenzar a actuar como lo que ya Dios dijo que vas a ser. *Amén*

> A diferencia de los hombres, que primero dicen y después hacen, Dios, primero hace y después dice.

Ejemplo de esto tenemos en José, a quien el Señor le mostró en sueños, que sería gobernador. Pero luego de esto, todo lo que le acontecía parecía ser totalmente contrario a lo que Dios había dicho que haría con él. Ya que, por causa de esos sueños, sus hermanos dijeron acerca de él: ¡Matémosle! pero Dios intervino usando a Judá su hermano, para que en vez de matarlo lo vendieran a los ismaelitas como esclavo, los cuales a su vez lo vendieron a un oficial de la corte egipcia llamado Potifar.

Es casi seguro que mientras José iba de camino a la casa de Potifar, Satanás le haya susurrado: «Tu jamás llegarás a ser gobernador. Toda tu vida tendrás que ser un esclavo. Así que ¿De qué te valió que soñaras, si mira donde terminaste?»

Pero, ¿Cómo reacciono José ante esto? ¿Qué hizo él cuando luego de recibir la visión de que iba a ser gobernador, se encontraba pasando por algo totalmente diferente a eso? José, mantuvo dentro de su interior la imagen de lo que el Señor le había mostrado, y fue el hecho de mantenerla viva internamente, lo que hizo que él pudiera manifestarla externamente.

Pero, ¿Cómo lo hizo? Actuando como el gobernador que ya el cielo había dicho que sería, aunque para ese entonces, era solo un simple esclavo.

Así que por el respaldo de Dios con él y por el alto nivel de excelencia que mostraba desde la posición en la que estaba, luego de no mucho tiempo de haber llegado a la casa de Potifar, fue nombrado como el mayordomo de todos los asuntos de esa casa.

Más adelante, vemos como por causa de la falsa acusa-
ción hecha por la esposa de su amo, José fue llevado a
la cárcel. Pero aun estando ahí, no actuó como un pre-
so, sino como el gobernador que Dios había determinado que él fuera. Dedicándose a ser un «solucionador de
problemas» y por causa de esto, pudo notar cuando los
rostros del copero y del panadero, debido a los sueños
que tuvieron, estaban tristes.

Algo digno de resaltar en este punto, es el hecho de que
por José haber tenido la disposición de usar el don de interpretación de sueños mientras estaba en la cárcel, más
adelante es mandado a buscar para que haga lo mismo,
pero esta vez no a los siervos del rey, sino al rey mismo.
Por lo que la disposición de usar el don que tienes, en
tu proceso de «cárcel», te abrirá las puertas que te conducirán a tu destino. Tal como lo expresa el proverbista
diciendo:

**«*El don del hombre le ensancha el camino y le lleva
a estar delante de los grandes*».** Proverbios 18:16 (RVR
1960).

Luego de haber interpretado el sueño al Faraón, José fue
puesto como el gobernador de toda la tierra de Egipto.

Cumpliéndose de esta forma, la promesa que años antes, el Señor le había dado. Amén

4) No te desesperes: El tiempo de espera, suele ser una de las oportunidades más usadas por Satanás, para hacer que nos desesperemos y le echemos mano a sus propuestas, las que aunque a veces no parecen ser malas, ciertamente nunca son las indicadas. Tal como vemos en el caso de Abraham y Sara a quienes Dios les había dicho que les daría una poderosa descendencia, pero luego de esperar durante diez años y no ver el cumplimiento de tal promesa, Sara le propuso a Abraham que durmiera con Agar su criada, dudando de que lo que Dios había dicho pudiera verdaderamente llegar a cumplirse. (Ver génesis 16:3)

Error, que trajo como resultado diversas consecuencias, entre las cuales están los continuos conflictos que existen entre Palestina, nación conformada por los

> Una silla vacía, siempre será mejor que una silla ocupada por la persona equivocada.

descendientes de Ismael el hijo de Agar; y entre Israel, conformada por los descendientes de Isaac, el hijo nacido como cumplimiento de la promesa que Dios le dio a Abraham y Sara.

Por tanto, sin importar cuál sea la promesa que te encuentres esperando, renuncia a toda ansiedad y no tomes ningún atajo. Porque la desesperación, puede hacer que caigas en cosas que no son parte del plan de Dios para ti, y que una vez te encuentres dentro de ellas, tu desesperación por salir, sea mayor a la que tenías antes.

En ese mismo orden, no te afanes por llenar los espacios vacíos de tu vida de forma apresurada porque una silla vacía, siempre será mejor que una silla ocupada por la persona equivocada.

Dios conoce tu necesidad y si te mantienes confiando en su fidelidad y cuidado para ti, la persona indicada llegará en su debido momento. Amen

*«Porque yo sé muy bien **lo que tengo planeado para ustedes, dice el SEÑOR, son planes para su bienestar, no para su mal.** Son planes de darles un futuro y una esperanza».* Jeremías 29:11 (PDT).

Principios del Capítulo

1. No dejemos que nada nos separe de las conexiones divinas que Dios ha dispuesto para nosotros; porque aun, el mal carácter que en ocasiones puedan mostrarnos, será usado por Dios para formarnos.

2. Una de las razones por la que a muchos se les dificulta dejar atrás el pasado, es la tendencia que tienen de aferrarse a lo que para ellos resulta ser familiar. Causa por la que rechazan lo que tienen delante, aunque sea mucho mejor, que lo que quedó atrás.

3. Decide ser de aquellos que sin importar cuanto les haya golpeado el pasado, se disponen a llevar a las manos del Señor sus pedazos, para que Él haga con ellos una obra de arte.

4. En ocasiones, Dios hará que algunas personas se alejen de ti por un tiempo, para luego traerlas a ti en una versión mejorada. Mientras que en otras ocasiones, será a ti que Dios te llevará a un nivel nuevo, antes de volver a dártelas. Amen

5. Si tratas de moverte hacia delante mientras tienes tu vista hacia atrás, tus pasos serán inestables, no podrás mantener el balance y en cualquier momento caerás.

6. No pienses en vengarte de las personas que el adversario haya usado para dañarte. Porque aunque parezcan ser tus enemigos, son solo colaboradores de los planes que Dios tiene contigo.

7. Sin Judas no hay traición, sin traición no hay arresto, sin arresto no hay azotes, sin azotes no hay cruz, sin cruz no hay muerte, sin muerte no hay resurrección, y sin resurrección no hay victoria.

8. En medio de tus procesos, tu no necesitas gente que te tenga pena sino, que puedan ver las cosas de acuerdo a los planes y propósitos que Dios tiene para ti.

9. Muchas cosas en la vida, al perderse pueden volver a ser remplazadas pero el tiempo, no es una de ellas. De modo que un día que desperdiciamos, es un día que jamás podremos volver a recuperar.

10. Dios no está preparando tus bendiciones, te está preparando a ti para que cuando las recibas las puedas manejar del modo correcto.

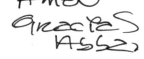

130

11. La disposición de usar el don que tienes, en tu proceso de «cárcel», te abrirá las puertas que te conducirán a tu destino.

12. La desesperación puede hacer que caigas en cosas que no son parte del plan de Dios para ti, y que una vez te encuentres dentro de ellas, tu desesperación por salir, sea mayor a la que tenías antes. wow o

La Sunamita

Una modelo digna de imitar

A diferencia de las otras mujeres mencionadas en este libro, la sunamita aparece como una mujer sin nombre. Sin embargo, es la única que la Biblia define como *«una mujer importante»*. (Ver 2 Reyes 4:8)

Según la traducción hebrea, la palabra «importante» utilizada en este pasaje es «kjazac» y se traduce (entre otros apelativos) como: atrapar, ser fuerte, valiente, ayudar, fortificar, obstinar, restringir, afirmar, amparar, animar, arrebatar, ayudar, ceñir, confirmar, crecer, dar, dedicar, detener, echar mano, empuñar, endurecer, esforzar, firme, fortalecer, guiar, invitar, manejar, mantener, mostrar, resuelto, retener, sostener, tener, tomar, vencer.

Muchas son las mujeres que hoy día, se ocupan en dar seguimiento continuo a ciertas personalidades del cine,

> Los que andan en oscuridad, nunca podrán servir de guía a los que buscan andar en luz.

del arte o de cualquier otra área de la farándula porque de algún modo, les atraen y en lo más profundo de su interior desean verse o por lo menos parecerse a alguna de ellas, y para tratar de lograrlo se visten, se peinan, se maquillan, se someten a cirugías e imitan sus hábitos y sistemas de conducta. Lo que lejos de resaltar el valor de la mujer, le resta. Ya que muchas de estas acciones solo son hechas con el fin de endiosar la autoimagen, de llamar la atención del género opuesto y de competir con las del mismo género.

Ahora bien, en este punto quiero aclarar, que no hay nada de malo en arreglarse y querer verse bien, pero hay mucho peligro en hacer esto solo para resaltar el ego o tratar de imitar a alguien que carece de una conducta correcta. Porque los que viven a su manera, y no a la manera de vivir que Dios ha establecido para ellos (aunque les cueste admitirlo) andan en oscuridad. Y los que andan en oscuridad, nunca podrán servir de guía a los que buscan andar en luz. Así que, solo cuando nuestra vida está guiada por los preceptos de Cristo, se convierte en una vida digna de ser imitada. Es por esto que el apóstol Pablo, con toda firmeza pudo decir: «*Ustedes deberían imitarme a mí, así como yo imito a Cristo.*» 1 Corintios 11:1 (NTV).

Pero en la Biblia, no solo encontramos a Pablo como un modelo digno de imitar, sino también a muchas otras personas que por el modo en que vivieron nos sirven de ejemplo e inspiración. Tal es el caso de la ilustre mujer sunamita, de la que además de no mencionársenos el nombre, curiosamente tampoco se nos menciona ningún atributo físico, pero se le resaltan diversas características que la convierten en una «modelo» verdaderamente digna de imitar; he aquí solo algunas de ellas:

Sabía muy bien aprovechar la oportunidad:

La mayoría de los escritos acerca de esta mujer, coinciden en que ella era acaudalada y bien posicionada. Sin embargo, en vez de pensar que por causa de su posición lo tenía todo, ella no dejó pasar la oportunidad de servir a un siervo del Señor, algo que más adelante se convertiría en el mayor de todos sus privilegios. Sin embargo, su intención de servir a Eliseo del modo que lo hizo, no estaba movida por el interés de recibir de él algo a cambio, sino de favorecerlo con las bendiciones que ya de parte de Dios, ella había recibido. Pero, ¿Qué significó realmente que ésta mujer procurara tener a este profeta en su casa?

Para poder entenderlo mejor, es necesario recordar que en la antigüedad bíblica, existían tres cargos altamente prominentes en el pueblo, que eran: el rey, el sacerdote y el profeta.

El rey tenía a cargo la dirección y el gobierno del pueblo; el sacerdote servía como vocero del pueblo frente a Dios, mientras que el profeta era el vocero de Dios, frente al pueblo. Causa por la cual, el profeta era considerado como la representación misma de Dios en el pueblo.

Debido a esto, la sunamita no solo se propuso tener al profeta Eliseo en su casa, sino que consultó con su esposo, su deseo de hacerle una habitación.

«*Y ella **dijo a su marido**: He aquí ahora, yo entiendo que éste que siempre pasa por **nuestra casa**, es varón santo de Dios. **Yo te ruego que hagamos** un pequeño aposento de paredes, **y pongamos** allí cama, mesa, silla y candelero, **para que cuando él viniere a nosotros**, se quede en él.*» 2 Reyes 4:9-10 (RVR 1960).

El término hebreo para la palabra «hagamos» utilizado en este pasaje es «asa» y se define como: edificar, construir o fabricar. Algo que resulta ser aún más interesante, al considerar que en la antigüedad, las casas de personas acaudaladas (como era el caso de la sunamita) siempre

136

tenían varios cuartos y no solo una habitación. Es decir, que a pesar de que es seguro que en la casa de esta mujer había una o más habitaciones vacías (porque no tenía hijos para ocuparlas) ella no quería darle a quien era considerado como «la representación de Dios en el pueblo», de lo que le sobraba sino que deseaba esmerarse y construirle una posada, que aun antes de estar edificada la veía también amueblada, y no solo con una cama, sino con otros utensilios que definitivamente serian de mucha utilidad para el oficio del profeta como son: una mesa, un candelero y una silla.

Consultó con su marido lo que quería hacer:

Una de las cualidades que más embellecen a una mujer virtuosa, es la de reconocer el lugar que le corresponde a su marido, según el orden de Dios. Es decir que por más sabia, habilidosa e inteligente que sea, si una mujer es casada debe respetar y honrar a su esposo. Tal como lo expresa el apóstol Pablo al decir:

«Esposas, estén sujetas a su esposo como conviene en el Señor.» Colosenses 3:18 (RVR 2015).

Ahora bien, en este punto cabe destacar que el diseño idóneo de sujeción según el orden de Dios, es este: *«Por-*

que el marido es la cabeza de su esposa, así como Cristo es cabeza de la iglesia». Efesios 5:23 (NTV).

> Del único modo que la falta de sujeción a la autoridad no es sancionada, es cuando ésta tiene como fin dañar y destruir a aquellos que tiene a su cargo.

Al comparar la sujeción que la esposa debe tener hacia su marido, con la sujeción que la iglesia debe tener hacia Cristo, podemos entender que este mandato no hace referencia a un liderazgo opresor o abusivo de parte del esposo, sino más bien a uno que trae cobertura, protección y guianza hacia su esposa. Del mismo modo como el estar sujeta a Cristo, hace que la iglesia encuentre protección, cobertura y dirección en Él.

Sin embargo, esto no significa que si tu esposo no es cristiano, no debas respetarlo y reconocerlo como la «cabeza» de tu casa, porque el hecho de que él no cumpla con el mandato de Dios, no significa en modo alguno que tú debas hacer lo mismo. Ya que, con tu respeto y sometimiento a él, atraerás la atención del Señor, quien al ver la disposición de tu corazón a obedecer, te bendecirá y hará que tu esposo (aunque no siempre lo reconozca) pueda ver en ti, una verdadera servidora de Dios.

Del único modo que la falta de sujeción a la autoridad no es sancionada, es cuando ésta tiene como fin dañar y destruir a aquellos que tiene a su cargo.

Tal no era el caso del esposo de la sunamita, ya que el texto no solo nos muestra la buena manera de proceder de esta mujer en cuanto al reconocimiento de la autoridad de su marido, sino también el modo como él se identificaba con los deseos de ella y se hacía partícipe con ella de llevar a cabo las buenas intenciones que Dios ponía en su corazón.

*«Y ella **dijo a su marido:** He aquí ahora, yo entiendo que éste que siempre pasa por **nuestra casa**, es varón santo de Dios. **Yo te ruego que hagamos** un pequeño aposento de paredes, **y pongamos** allí cama, mesa, silla y candelero, **para que cuando él viniere a nosotros,** se quede en él.»* 2 Reyes 4:9-10 (RVR 1960).

Fue recompensada a causa de su esmero:

Como mencionamos anteriormente, el gesto de la mujer sunamita hacia el profeta Eliseo, no había sido hecho con el fin de recibir ningún favor especial de parte de él, algo que queda revelado en el siguiente texto:

«Eliseo le dijo a Giezi: «Esta mujer ha sido muy amable con nosotros. Pregúntale qué quiere que haga yo en su favor. **¿Necesita que hable por ella al rey, o al general del ejército?» Y la mujer respondió: «En medio de mi pueblo, yo vivo como una reina»**. 2 Reyes 4:13 (RVC).

Pero, aunque la intención de esta mujer no era recibir favores del profeta, la Biblia claramente expresa:

«Dios les dará un premio a los que reciban en su casa a un profeta, sólo por saber que el profeta anuncia el mensaje de Dios». Mateo 10:41 (TLA).

Así que luego de haberse negado a ser recomendada por Eliseo ante las autoridades de su pueblo, el profeta persiste.

«Más tarde, Eliseo volvió a preguntar a Giezi: ¿Qué podemos hacer por ella? Y Giezi le contestó, ella no tiene hijos y su esposo ya es anciano. Llámala de nuevo, le dijo Eliseo. La mujer regresó y se quedó de pie en la puerta mientras Eliseo le dijo: El año que viene, por esta fecha, ¡tendrás un hijo en tus brazos!. ¡No, señor mío! —exclamó ella—. Hombre de Dios, no me engañes así ni me des falsas esperanzas. Pero, efectivamente la mujer pronto quedó embarazada y al año siguiente, por esa fecha, tuvo un hijo, tal como Eliseo le había dicho». 2 Reyes 14:19 (NTV).

Esto nos confirma que ciertamente, el ocuparnos de las cosas de Dios, trae como resultado que Dios se ocupe de las cosas nuestras.

Ahora bien, en este punto es importante destacar que Eliseo era un auténtico profeta, y no uno que solo tenía nombre de serlo. Algo que definitivamente debemos tomar en cuenta, porque hoy muchos de los que se hacen llamar «profetas», buscan solo la forma de sacar ventaja ante cualquier oportunidad o relación que tengan, haciendo de este modo una muy mala representación de los asuntos del reino de Dios.

Estando en la casa de la sunamita, Eliseo no intentó cruzar los límites que como hombre de Dios, sabía que debía de tener. De hecho, el ni siquiera se acercaba directamente a esta mujer, sino que cuando debía hablarle, usaba como medio de acercamiento a su criado Giezi.

> En vez de ocuparte en anunciar quien eres, deja que tus hechos se encarguen de revelarlo.

Por otro lado, la carta de presentación de Eliseo, era la forma tremenda como Dios lo respaldaba. De hecho, la Biblia no registra que en algún momento Eliseo se haya autoproclamado «profeta» y aunque la unción que él tenía, era doble de la que portaba su antecesor Elías, él jamás hizo alarde de esto.

Del mismo modo, en vez de ocuparte en anunciar quien eres, deja que tus hechos se encarguen de revelarlo. Porque ¿De qué vale decir lo que eres cuando no cuentas con el respaldo de Dios para avalarlo?

Eliseo le dijo a la sunamita: «*El año que viene, por esta fecha, ¡tendrás un hijo en tus brazos!... Y al año siguiente, por esa fecha, la sunamita tuvo un hijo, tal como Eliseo se lo había dicho*». (Vers. 18-19).

Eliseo no tenía poder en sí mismo para hacer que ese milagro aconteciera, sino que necesitaba ser respaldado por Dios para que lo que había dicho, se hiciera efectivo. Y Dios, conforme a la palabra hablada por su representante en la tierra, se manifestó a favor de la sunamita y de su casa, tal como él lo había profetizado.

«*Si el profeta habla en el nombre del Señor, pero su profecía no se cumple ni ocurre lo que predice, ustedes sabrán que ese mensaje no proviene del Señor. Ese profeta habló sin el respaldo de mi autoridad, y no tienen que temerle*». Deuteronomio 18:22 (NTV).

Mantuvo un alto nivel de control frente a la crisis y la presión:

No hay nada que ponga más a prueba nuestro nivel de madurez, que los momentos de crisis y presión a los que somos expuestos. Y fue la crisis que llegó a la casa de la mujer sunamita a causa de la muerte de su hijo, lo que dejó en evidencia que la ilustre forma como esta mujer se describe, no solo se trata de un simple concepto.

> No hay nada que ponga más a prueba nuestro nivel de madurez, que los momentos de crisis y presión a los que somos expuestos.

*«Y el niño creció. Pero aconteció un día, que vino a su padre, que estaba con los segadores; y dijo a su padre: !¡Ay mi cabeza, mi cabeza! Y el padre dijo a un criado: Llévalo a su madre. Y habiéndole él tomado y traído a su madre, estuvo sentado en sus rodillas hasta el mediodía, y murió. Ella entonces subió, y lo puso sobre la cama del varón de Dios, y cerrando la puerta, se salió. Llamando luego a su marido, le dijo: Te ruego que envíes conmigo a alguno de los criados y una de las asnas, para que yo vaya corriendo al varón de Dios, y regrese. Él dijo: ¿Para qué vas a verle hoy? No es nueva luna, ni día de reposo. **Y ella respondió: Paz.***» 2 Reyes 4:18-23 (RVR 1960).

Antes de enterrar al niño, consultó la fuente de donde este salió:

El hijo de la sunamita, representaba la recompensa que Dios le otorgó por medio del profeta Eliseo, por causa de las atenciones que ella había mostrado para con él; y el hecho de estar consciente de esto, fue lo que hizo que cuando su hijo falleció, en vez de enterrarlo, ella se dirigiera a la fuente de donde el niño salió.

Y tú, ¿Qué haces cuando aparentemente muere la bendición que Dios te dio? ¿Cuál es tu reacción cuando tus hijos se apartan de los caminos del Señor, cuando el medico te dice que padeces de alguna enfermedad incurable o cuando el banco te envía una notificación diciendo que estas a punto de perder tu casa? ¿Cuál es el modo cómo te manejas cuando descubres que tu pareja te ha sido infiel, cuando decide abandonar la casa o cuando sin darte muchas explicaciones, te pide el divorcio? Estas son solo algunas de las caras con las que pueden llegar a nuestras vidas, los tiempos de crisis. Pero, aunque ciertamente esos tiempos nos golpean, nos sacuden y hacen que parezca como que todo se desploma, no te apresures a rendirte; en vez de esto, sigue el ejemplo que nos da la sunamita, quien antes de enterrar su bendición, fue de vuelta a la fuente de donde esa bendición salió.

Imagínate lo diferente que hubiese sido esta historia, si esta mujer en vez de ir al profeta, hubiera procedido a enterrar a su hijo. Muchas de las cosas que están aparentemente muertas en tu vida, pueden volver a restaurarse si en vez de aceptar su estado actual como válido, decides presentarlas delante del Señor.

Conéctate con Dios en medio de tu dolor, porque solo en Él encontrarás la respuesta que necesitas para hacer frente a cualquiera que sea tu situación. Porque, aunque no en todos los casos la indicación del Señor sea la misma (como veremos en el siguiente capítulo de este libro) es solo buscando la respuesta de Dios en medio de tu crisis, que vas a poder recibir las instrucciones correctas acerca de lo que debes hacer, en cualquiera que sea tu situación.

No quiso turbar a su marido con lo que estaba pasando:

El modo como la sunamita se manejó en este punto, es verdaderamente loable. Porque como dijimos anteriormente, ella era una mujer sumisa que mostraba a su esposo el debido respeto, y consultaba con él las cosas que iba a realizar antes de hacerlas. Pero también como mujer de revelación que era, evitaba hacerle comentarios que pudiesen afectar su fe o incitarlo a dar instrucciones que no estuviesen acorde con la respuesta que ella podía obtener, al llevar su caso directamente a donde hallaría respuesta de Dios.

*«Llamando luego a su marido, le dijo: Te ruego que envíes conmigo a alguno de los criados y una de las asnas, para que yo vaya corriendo al varón de Dios, y regrese. Él dijo: ¿Para qué vas a verle hoy? No es nueva luna, ni día de reposo. **Y ella respondió: Paz**».* 2 Reyes 4:22-23 (RVR 1960).

Solo hablaba sus asuntos con las personas indicadas:

No todas las personas tienen la madurez necesaria para darte la palabra o la directriz que necesitas recibir en ciertos momentos. Por eso, a la hora de hablar acerca de tus problemas, debes identificar muy bien a aquellos cuyo nivel pertenece al rango de «Giezi» y a los que por su sabiduría y grado de conexión con el Señor, pueden darte una palabra acorde a la voluntad de Dios para ti, en esos determinados momentos.

«Y cuando el varón de Dios la vio de lejos, dijo a su criado Giezi: He aquí la sunamita. Te ruego que vayas ahora corriendo a recibirla, y le digas: ¿Te va bien a ti? ¿Le va bien a tu marido, y a tu hijo? Y ella dijo: Bien. Luego que llegó a donde estaba el varón de Dios en el monte, se asió de sus pies. Y se acercó Giezi para quitarla; pero el varón de

*Dios le dijo: Déjala, porque su alma está en amargura, y Jehová me ha encubierto el motivo, y no me lo ha revelado. **Y ella dijo: ¿Pedí yo hijo a mi señor? ¿No dije yo que no te burlases de mí?».** 2 Reyes 4:25-28 (RVR 1960).*

> No todas las personas tienen la madurez necesaria para darte la palabra o la directriz que necesitas recibir en ciertos momentos.

Al notar como responde la sunamita al criado de Eliseo, algunos pueden pensar «Pero ella mintió al decirle a Giezi que todo iba bien, cuando en realidad su hijo se encontraba muerto». Pero si parafraseamos lo dicho por esta mujer al criado de Eliseo, tenemos lo siguiente: «Gracias por preguntar Giezi, pero la situación que tengo, está por encima de tu capacidad para poder resolverla».

No cuentes tus asuntos a todo el que te pregunte lo que te pasa, porque a muchos en el fondo no les importa y solo quieren que les informes para complacer su morbo; y otros, aunque quieran ayudarte, no podrán hacer absolutamente nada. De hecho, resulta ser hasta peligroso contarle tus asuntos a personas que no cuentan con la capacidad para guiarte. Ya que en vez de servirte de ayuda, el consejo que ellos te dan puede confundirte y por ende hacer que tomes decisiones totalmente contrarias, a las que Dios espera que tomes en ese tiempo.

Sin embargo, esto en ninguna manera significa que debes reprimirte o que no puedas buscar a alguien para poder desahogarte, sino que debes abrir tu corazón solamente ante las personas correctas, tal como vemos que hizo la sunamita. *Y ella dijo (a Eliseo): «¿Pedí yo hijo a mi señor? ¿No dije yo que no te burlases de mí?»* 2 Reyes 4:28 (RVR 1960).

El ir donde aquellos que cuentan con la debida conexión con el Señor, en nuestros momentos de crisis y presión, siempre hará que seamos alentados y bien direccionados, aunque nuestra solución no siempre la obtengamos de forma inmediata.

No estaba dispuesta a conformarse con nada distinto a la perfecta voluntad de Dios:

Si bien es cierto que frente algunos momentos de presión que llegan a nuestras vidas, a veces no encontramos la salida, no menos cierto es que en otras ocasiones, una de las cosas que pueden hacer que una crisis se vuelva aún más complicada, es aceptar una solución que aunque parezca ser buena y válida, no es la indicada para nuestro caso específico. De hecho, aunque para otras personas que han pasado por alguna situación parecida haya sido la salida, no significa que en nuestro caso, también sea lo mismo.

Por ejemplo, la Biblia nos dice que con los paños que le llevaban a Pablo para que él los tocase, los enfermos eran sanados y los que estaban atados con espíritus inmundos, eran liberados. (Ver Hechos 19:11-12).

Pero la sumanita, no se conformó con el solo hecho de que Eliseo le diera a Giezi su báculo para ponerlo sobre el rostro del niño, aunque el «báculo» era considerado como un instrumento poderoso en las manos de un profeta. Porque en él, se hallaban registradas las referencias de los milagros y de los hechos acontecidos durante la trayectoria de ese determinado profeta.

Por lo que, al poner el báculo sobre el rostro del niño, no solo se le estaba poniendo un instrumento que siempre estaba en las manos de Eliseo, sino que se le estaba poniendo encima, la promesa que a la sunamita le había sido dada, además del registro del cumplimiento de la misma. Pero esto no lo resucitó.

«Entonces dijo él a Giezi: Ciñe tus lomos, y toma mi báculo en tu mano, ve... y pondrás mi báculo sobre el rostro del niño. Y dijo la madre del niño: Vive Jehová, y vive tu alma,

que no te dejaré. El entonces se levantó y la siguió. Y Giezi había ido delante de ellos, y había puesto el báculo sobre el rostro del niño; pero no tenía voz ni sentido, y así se había vuelto para encontrar a Eliseo, y se lo declaró, diciendo: El niño no despierta». 2 Reyes 4:29-31 (RVR 1960).

Pero el hecho de haber escuchado por boca del criado que el niño no revivió, no detuvo el paso de la sunamita junto al profeta de Dios, para ir a darle el frente al hijo muerto que se hallaba en su casa.

Y tú, ¿Qué haces cuando luego de ciertos intentos por salvar tu situación no sucede nada? La sunamita, acompañada del profeta de Dios, siguió marchando rumbo a su casa.

De igual modo, cuando en medio de la adversidad lo único que escuches sean voces como estas: «Esa enfermedad no tiene cura, la deuda que tienes jamás serás capaz de saldarla, ese hijo ya dalo por perdido o ese hombre jamás volverá contigo», no detengas tu paso. Ignora esas voces y sigue marchando.

Algunas batallas para poder ser ganadas deberán ser peleadas con una actitud obstinada

«Entrando él entonces, cerró la puerta tras ambos, y oró a Jehová. Después subió y se tendió sobre el niño, poniendo su boca sobre la boca de él, sus ojos sobre sus ojos, y sus manos sobre las manos suyas; así se tendió sobre él, y el cuerpo del niño entró en calor. Volviéndose luego, se paseó por la casa a una y otra parte, y después subió, y se tendió sobre él nuevamente, y el niño estornudó siete veces, y abrió sus ojos». 2 Reyes 4:32-35 (RVR 1960).

Este es uno de los puntos más relevantes de toda la historia de la mujer sunamita. Porque además de su determinación por ver la manifestación de Dios en medio de su crisis, muestra que sin lugar a dudas éste fue el milagro que demando más fe y perseverancia aún del mismo profeta, ya que en un momento determinado parecía que nada de lo que él hacía, traería algún resultado.

Giezi puso el báculo sobre el rostro del niño... *Pero el niño no despertó.*

Hay cosas que no las verás, a menos que con toda firmeza decidas mantenerte en la lucha, hasta que tu milagro se manifieste.

Entrando entonces Eliseo a la habitación donde estaba el niño, cerró la puerta y oró a Jehová... *Pero el niño no despertó.*

Después subió y se tendió sobre el niño, poniendo su boca sobre la boca de él, sus ojos sobre sus ojos, y sus manos sobre las manos suyas... *Pero el niño no despertó.*

Luego de esto, el profeta se paseó una y otra vez por la casa... *Pero el niño no despertó.*

Sin embargo, en vez de llamar a la sunamita para darle su «más sentido pésame» y ayudarla a aceptar su «aparente realidad», Eliseo **volvió a subir** a la habitación donde el niño yacía muerto, se tendió sobre él nuevamente, y fue entonces luego de estornudar siete veces, que el niño abrió sus ojos.

«Entonces Eliseo le dijo a Guiezi: —Llama a la señora. Guiezi así lo hizo y, cuando la mujer llegó, Eliseo le dijo: —Toma. Puedes llevarte a tu hijo» 2 Reyes 4:36 (NVI)

Este es un ejemplo extraordinario de que, aunque nada en tu situación parezca mejorar luego de hacer todo lo que puedes e implementar todo lo que sabes (a menos que Dios determine que lo hagas) no puedes proceder a enterrar lo que se te ha muerto. Porque hay cosas que no las verás, a menos que con toda firmeza decidas mantenerte en la lucha, hasta que tu milagro se manifieste.

De hecho, cabe destacar que la perseverancia de la sunamita, no solamente trajo como resultado la resurrección de su hijo. Sino que, aún luego de varios años ella fue favorecida por causa de lo mismo.

«Habló Eliseo a aquella mujer a cuyo hijo él había hecho vivir, diciendo: Levántate, vete tú y toda tu casa a vivir donde puedas; porque Jehová ha llamado el hambre, la cual vendrá sobre la tierra por siete años. Entonces la mujer se levantó, e hizo como el varón de Dios le dijo; y se fue ella con su familia, y vivió en tierra de los filisteos siete años. Y cuando habían pasado los siete años, la mujer volvió de la tierra de los filisteos; después salió para implorar al rey por su casa y por sus tierras.

Y había el rey hablado con Giezi, criado del varón de Dios, diciéndole: Te ruego que me cuentes todas las maravillas que ha hecho Eliseo.

Con la adversidad que puedas estar atravesando hoy, Dios está construyendo un testimonio que traerá bendición a tu mañana.

Y mientras él estaba contando al rey cómo había hecho vivir a un muerto, he aquí que la mujer, a cuyo hijo él había hecho vivir, vino para implo-

rar al rey por su casa y por sus tierras. Entonces dijo Giezi: Rey señor mío, esta es la mujer, y este es su hijo, al cual Eliseo hizo vivir. Y preguntando el rey a la mujer, ella se lo contó. Entonces el rey ordenó a un oficial, al cual dijo: Hazle devolver todas las cosas que eran suyas, y todos los frutos de sus tierras desde el día que dejó el país hasta ahora». 2 Reyes 8:1-6 (RVR 1960).

En este pasaje queda confirmado, que ciertamente detrás de todo lo que nos acontece hay un plan supremo de parte del Señor, que tiene como propósito favorecernos, aunque en medio de las fuertes crisis que nos golpean, en ninguna manera lo parezca. En otras palabras, con la adversidad que puedas estar atravesando hoy, Dios está construyendo un testimonio que traerá bendición a tu mañana.

Finalmente, luego de considerar todas las maravillosas lecciones que hemos aprendido de esta ilustre mujer de Sunem, digna representante de la tribu de Isacar (ver Josué 19:17-18) no nos queda la menor duda, de que ella cuenta con todas las características para ser considerada como una verdadera modelo, a la que todas las mujeres de hoy, deberíamos buscar imitar.

«...*Sin dudar ni un instante sigan el ejemplo de los que confían en Dios, porque así recibirán lo que Dios les ha prometido*». Hebreos 6:12b (TLA).

Principios del Capítulo

1. No hay nada de malo en arreglarse y querer verse bien, pero hay mucho peligro en hacer esto, solo para resaltar el ego o tratar de imitar a alguien que carece de una conducta correcta.

2. Solo cuando nuestra vida está guiada por los preceptos de Cristo, se convierte en una vida digna de ser imitada.

3. El ocuparnos de las cosas de Dios, trae como resultado que Dios se ocupe de las cosas nuestras.

4. Muchos de los que se hacen llamar «profetas», buscan solo la forma de sacar ventaja ante cualquier oportunidad o relación que tengan, haciendo de este modo una muy mala representación de los asuntos del reino de Dios.

5. La carta de presentación de Eliseo, era la forma tremenda como Dios lo respaldaba.

6. En medio de tus momentos de presión y crisis, no te apresures a rendirte; en vez de esto, sigue el ejemplo que nos da la sunamita, quien antes de enterrar su bendición, fue de vuelta a la fuente de donde esa bendición salió.

7. Muchas de las cosas que están aparentemente muertas en tu vida, pueden volver a restaurarse si en vez de aceptar su estado actual como válido, decides presentarlas delante del Señor.

8. No todas las personas tienen la madurez necesaria para darte la palabra o la directriz que necesitas recibir en ciertos momentos.

9. A la hora de hablar acerca de tus problemas, debes identificar muy bien a aquellos cuyo nivel pertenece al rango de «Giezi» y a los que, por su sabiduría y grado de conexión con el Señor, pueden darte una palabra acorde a la voluntad de Dios para ti, en ese determinado momento.

10. El ir donde aquellos que cuentan con la debida conexión con el Señor, en nuestros momentos de crisis y presión, siempre hará que seamos alentados y bien direccionados, aunque nuestra solución no siempre la obtengamos de forma inmediata.

11. Cuando en medio de la adversidad lo único que escuches sean voces como estas: «Esa enfermedad no tiene cura, la deuda que tienes jamás serás capaz de saldarla, ese hijo ya dalo por perdido o ese hombre jamás volverá contigo», no detengas tu paso. Ignora esas voces y sigue marchando.

Betsabé

Si Dios decidió llevárselo... Déjalo ir

Todas las mujeres, o por lo menos la gran mayoría tienen un secreto guardado, algo que no han externado y que absolutamente a nadie le han confiado. Lo que también es cierto acerca de sus familias, porque todas saben algo de sus hijos, sus esposos o de cualquier otro miembro que la compone, que de llegar a saberse afectaría el modo como muchos la verían. Y es que, en la vida no siempre las cosas salen del modo como planeamos. A veces tanto nosotras como nuestras familias, nos equivocamos y cometemos errores cuyas secuelas tendremos que aprender a enfrentar, porque no tenemos forma de hacer que retroceda el tiempo, para poder enmendar; y aunque estos errores son perdonados desde el mismo momento en que nos disponemos a ir a Dios y reconocer nuestras faltas, Satanás en su continuo propósito de querer oprimirnos, los utiliza para acusarnos, amedrentarnos, y avergonzarnos.

Algo semejante a esto fue lo que pasó en la vida de la mujer que trataremos en este capítulo, cuyo nombre es Betsabé, que significa «la séptima hija o la hija del juramento», quien tenía como esposo a un hombre llamado Urías, cuyo significado es «Jehovah es luz».

Urías, el esposo de Betsabé, era un ilustre guerrero del ejército del rey David, y el caso que envuelve a esta pareja, fue considerado como la única mancha que tuvo David, en cuanto a su caminar con el Señor.

*«Pues David había hecho lo que era agradable a los ojos de Dios y obedeció los mandatos del Señor durante toda su vida, **menos en el asunto de Urías el hitita**».* 1 Reyes 15:5 (NTV).

Esto deja claramente establecido que las escrituras son fieles en declararnos las faltas, incluso de las personas a las que más aplaude; con el fin de que a través de las vivencias de ellos, nosotros también podamos ser edificados. Pero, ¿Cuál fue la situación en la que estuvieron envueltos estos tres personajes? Para poder comprenderlo mejor, veamos el siguiente texto:

«Aconteció al año siguiente, en el tiempo que salen los reyes a la guerra, que David envió a Joab, y con él a sus siervos y a todo Israel, y destruyeron a los amonitas, y sitiaron a Rabá; pero David se quedó en Jerusalén. Y sucedió un día, al caer la tarde, que se levantó David de su lecho y se paseaba sobre el terrado de la casa real; y vio desde el terrado a una mujer que se estaba bañando, la cual era muy hermosa.

Envió David a preguntar por aquella mujer, y le dijeron: Aquella es Betsabé hija de Eliam, mujer de Urías heteo. Y envió David mensajeros, y la tomó; y vino a él, y él durmió con ella. Luego ella se purificó de su inmundicia, y se volvió a su casa. Y concibió la mujer, y envió a hacerlo saber a David, diciendo: Estoy encinta». 2 Samuel 11:1-5 (RVR 1960).

En primer orden, resulta interesante considerar que las circunstancias que dieron paso a este pecado, fue la negligencia mostrada por parte del rey David hacia sus ocupaciones de gobernante. Porque cuando debía haber estado con sus tropas en el campo de batalla, encargó a otros de este menester. Algo que queda expuesto en la expresión siguiente «Pero David se quedó en Jerusalén» (Ver.1) Por lo que de haber estado donde debía y haberse ocupado de lo que tenía, David no hubiese estado expuesto a la tentación que lo arrastró y lo llevó a incurrir en un pecado que fue en aumento en cuanto a su nivel de iniquidad, y que más adelante trajo a su vida y a su casa, muy lamentables consecuencias.

Siempre que nos hallamos fuera del camino de nuestro deber, somos visitados por un huésped llamado «tentación» cuya forma de introducirse es haciéndonos poner la vista en cosas que más adelante, terminamos lamentando haber mirado.

Cuando David vio a Betsabé, inmediatamente dio rienda suelta a su concupiscencia mandando a buscarla, y aunque le dijeron que ella era casada con uno de sus soldados más fieles, el no detuvo su acto corrupto y una vez le fue traída, se acostó con ella y ella quedó encinta como producto de ese acto.

Por causa de lo antes dicho, podemos deducir que ya Urías, llevaba tiempo ausente de su casa, por estar presente en el campo de batalla donde a David, le correspondía estar. Mientras que al quedar embarazada, Betsabe sabía que el acto cometido no había de quedar oculto y por miedo a las consecuencias, sabiendo que de haber sido llevada ante los tribunales, ella conforme a lo que establecía la ley iba a ser apedreada, le mando a avisar al rey el estado en el que se hallaba insinuándole que era su deber hacer lo posible para protegerla. Por lo que David invento un plan para hacer que pareciera Urías el padre de la criatura concebida, y lo mando a sacar del campo de batalla donde se encontraba, para que viniese a pasar tiempo con su mujer.

Al llegar Urías a David, este usó como pretexto haberlo mandado a buscar para saber la condición del pueblo y cuál era el estado de la guerra, entonces luego de haber hablado con él lo suficiente como para cubrir sus verdaderos motivos, le envió a su casa para que descansara al junto de su mujer, pero en vez de ir a su casa, Urías prefirió dormir a la puerta del palacio con los guardias que allí estaban. Algo con lo que por supuesto, David no estaba contando; así que lo mando a buscar para interrogarlo a causa de esto.

«E hicieron saber esto a David, diciendo: Urías no ha descendido a su casa. Y dijo David a Urías: ¿No has venido de camino? ¿Por qué, pues, no descendiste a tu casa? Y Urías respondió a David: El arca e Israel y Judá están bajo tiendas, y mi señor Joab, y los siervos de mi señor, en el campo; ¿y había yo de entrar en mi casa para comer y beber, y a dormir con mi mujer? Por vida tuya, y por vida *de tu alma, que yo no haré tal cosa».* 2 Samuel 11:10-11 (RVR 1960)

El pecado ciega la vista, endurece el corazón, cauteriza la consciencia y priva de todo sentido de honor y justicia a los que lo cometen.

Al siguiente día llegada la noche, luego de fracasar en su primer intento de hacer que Urías se acostara con su mujer, lo invitó a comer y a beber hasta hacer que quedara embriagado. Algo que en sí mismo, se trataba de una acción malvada, porque hacer que una persona se embriague para poder privarle de su razón, resulta ser peor que robarle su dinero. Pero ni siquiera la embriaguez hizo a Urías, desviarse del propósito de mantenerse lejos de su casa y de su mujer hasta que el ejército al cual pertenecía, terminara la batalla. Lo que deja al descubierto el nivel de temple y compromiso que tenía este fiel soldado, pero ni siquiera el haber visto tan conmovedor acto de compromiso y fidelidad por parte de Urías, hizo que David se conmoviera, sino que por el contrario, al verse fracasado en su plan de hacerlo parecer el padre de la criatura que había concebido con la mujer de éste, Satanás puso en el corazón de David que acabara con la vida del inocente Urías.

¡Qué triste es ver como el fiel soldado que estaba dispuesto a morir por su rey, fue muerto por la mano de el! Aquí queda claramente expuesto como el pecado ciega la vista, endurece el corazón, cauteriza la consciencia y priva de todo sentido de honor y justicia a los que lo cometen.

«Venida la mañana, escribió David a Joab una carta, la cual envió por mano de Urías. Y escribió en la carta, diciendo: Poned a Urías al frente, en lo más recio de la batalla, y retiraos de él, para que sea herido y muera». 2 Samuel 11:14-15 (RVR 1960)

En este pasaje, vemos como el pecado de David se volvía más vil en cada procedimiento, llegando al punto de hacer que su víctima fuera partícipe de su propia muerte.

Poco después de Urías haber muerto, David se casó con la viuda de este, y el niño que habían procreado, nació. Pero Dios no quedó silente ante este caso, porque el hecho de tratarse de David, no hizo que este cayera dentro de un rango preferencial, al momento de tener que enfrentar las consecuencias que le vendrían por causa de su pecado; y aunque dichas consecuencias no llegaron hasta luego de un tiempo, como parte de la misericordia de Dios, con el fin de darle a David la oportunidad de arrepentirse por su propia iniciativa, ciertamente el juicio de Dios, llegó.

Y sabemos que había pasado un largo tiempo luego de haberse consumado el pecado, porque cuando Natán fue a ver a David ya el niño había nacido. De hecho, la Biblia no nos dice que edad tenía el niño, para el momento que Natán fue a confrontar a David.

Confrontación que para hacer, el profeta utilizo como relato el caso de un hombre rico que abusó vilmente de un hombre pobre, quitándole la única oveja que este tenía; lo que al escuchar David, pudo pensar que se trataba de una situación acontecida con uno de sus servidores o con alguno de los ciudadanos del pueblo; por lo que se dispuso a aplicar al culpable todo el peso de la justicia, que implicaba su muerte y la restauración de lo que se le había robado al pobre, con cuatro tantos. Es decir, multiplicado por cuatro. (ver 12:1-6)

Luego de escuchar al rey emitir tan «justo» juicio para el culpable, Natán le respondió: «*Tú eres aquel hombre. Así ha dicho Jehová, Dios de Israel: Yo te ungí por rey sobre Israel, y te libré de la mano de Saúl, y te di la casa de tu señor, y las mujeres de tu señor en tu seno; además te di la casa de Israel y de Judá; y si esto fuera poco, te ha-*

bría añadido mucho más. ¿Por qué, pues, tuviste en poco la palabra de Jehová, haciendo lo malo delante de sus ojos? A Urías heteo heriste a espada, y tomaste por mujer a su mujer, y a él lo mataste con la espada de los hijos de Amón. **Por lo cual ahora no se apartará jamás de tu casa la espada, por cuanto me menospreciaste, y tomaste la mujer de Urías heteo para que fuese tu mujer.** *Así ha dicho Jehová: He aquí yo haré levantar el mal sobre ti de tu misma casa, y tomaré tus mujeres delante de tus ojos, y las daré a tu prójimo, el cual yacerá con tus mujeres a la vista del sol.*

Porque tú lo hiciste en secreto; mas yo haré esto delante de todo Israel y a pleno sol. *Entonces dijo David a Natán: Pequé contra Jehová. Y Natán dijo a David: También Jehová ha remitido tu pecado; no morirás.*

Más por cuanto con este asunto hiciste blasfemar a los enemigos de Jehová, **el hijo que te ha nacido ciertamente morirá. Y Natán se volvió a su casa... Y al séptimo día el niño murió** (2 Samuel 12:7-15, 18).

Notemos que este pasaje establece que pasados siete días (no de haber nacido el niño, sino de haber sido llevado el mensaje del Señor a David por boca del profeta) **el niño murió.** O sea que a pesar de David arrepentirse since-

167

ramente de su pecado, y haber orado y ayunado para que Dios, en su misericordia dejara con vida al niño (Ver 12:16) la muerte de este (a diferencia del hijo de la sunamita) había venido como una irreversible determinación de parte del Señor.

> Los hombres pueden llorar por la partida de alguien intensamente, pero no llorarán prolongadamente.

Pero resulta interesante ver la actitud de David al ser notificado de la muerte del niño. Ya que la Biblia relata que se levantó del suelo, y en seguida se bañó, se perfumó, luego se vistió y fue a la casa del Señor para adorar. Después regresó al palacio, pidió que le sirvieran alimentos, y comió, demostrando con esto que había hallado la paz de Dios, en el día de su aflicción. (Ver. 12:20). Pero con Betsabe, no había ocurrido lo mismo.

Un detalle importante, a notar aquí, es el hecho de que los hombres siempre tienden a desprenderse con mucha más facilidad que las mujeres, de las cosas que ya no están. De hecho, casi nunca escuchamos a un hombre, a quien la esposa se le haya ido desde hace años, decir: «Estoy orando y ayunando para que ella regrese». Porque los hombres pueden llorar por la partida de alguien intensamente, pero no llorarán prolongadamente.

Porque luego de haber llorado y sufrido por cierto periodo de tiempo, proceden a llenar el lugar que les quedó vacío, sin importar cuál sea su apariencia porque aun siendo altos o bajitos, delgados o gruesos, atractivos o no tan atractivos, ellos siempre encontrarán a alguien para llenar ese espacio.

Me encuentro en el oficio pastoral desde que tenía 17 años y hasta el día de hoy, jamás he visto a un hombre pasar al frente en una ministración a pedir la oración para que su relación de pareja sea restaurada, argumentando que aunque la que era su esposa ya se casó y tiene hijos con otro hombre, el sigue creyendo firmemente que ella algún día regresará con él, y que todas las cosas volverán a ser restauradas, porque él sabe que ese hombre que ahora tiene la que era su mujer, no es el indicado para ella, porque él sigue siendo el hombre que ella necesita tener, y que aunque ella se haya ido y se haya casado con otro; él se mantiene casado con ella en el «espíritu».

¡No hermana querida! los hombres no permanecen casados en el «espíritu» con una mujer que ya hizo su vida con otro hombre. Porque cuando se trata de ellos, si nada sucede en la «carne», nada tampoco sucede en el «espíritu».

Pero por el contrario, las mujeres si pueden permanecer por años casadas en el «espíritu» y aunque esto ciertamente no sea algo que muchos comprenden, ellas se aferran a ese sentimiento.

Ahora bien, en este punto quiero resaltar lo siguiente: Toda mujer a la que el Señor le haya dado una promesa de restauración para su matrimonio, sin importar lo que vea, debe mantenerse firme creyendo en esa promesa. Porque si Dios lo dijo, ciertamente se cumplirá, aunque para el hombre parezca ser imposible. Pero resulta ser algo injusto y totalmente fuera de los planes del Señor, que una mujer se mantenga aferrada a algo que ya Él decidió quitarle, que siga atada emocionalmente a algo que ya Él decidió llevarse, y que pase años esperando el retorno de algo que Dios, ha determinado que no regresará.

Pero, ¿Cómo puede saber una mujer si debe seguir esperando o si debe desligarse por completo de algo o de alguien que ya no está?

Para responder a esto, recordemos un punto importante del capítulo anterior: A la mujer sunamita, cuyo hijo luego de haber muerto, el Señor lo resucitó, la promesa que se le había dado acerca de su hijo, no contenía enunciado de muerte. Por lo que, si en su caso particular el Señor no había pronunciado muerte, ella no podía proceder a preparar un entierro. Mientras que en el caso del hijo de Betsabe, Dios a través del profeta Natán, claramente había dicho: «*el hijo que te ha nacido ciertamente morirá*». (Ver. 18)

> Para cada golpe que nos trae la vida, hay un nivel de gracia especial que viene del Señor, con el fin de ayudarnos a rebasarlo.

Así que como dijimos antes, la respuesta sobre si debes seguir esperando o si debes desligarte por completo de alguien que ya no está, debes buscarla en oración a los pies del Señor, para que puedas proceder bajo las directrices de su perfecta voluntad para ti, en tu situación específica.

He visto muchos matrimonios ser restaurados por Dios, aun cuando todo parecía estar perdido, porque una mujer a la que Dios le dio una palabra, se atrevió a esperar y actuar conforme a esa orden; pero también he visto a muchas mujeres que Dios decidió quitarles a alguien, desperdiciar valiosos años de sus vidas esperando el retorno de quien, que por designio de Dios ya no regresará.

Por lo que, el deber de toda mujer que le cree al Señor, es aferrarse con todas sus fuerzas a lo que Dios prometió que resucitaría (tal como lo hizo la sunamita) pero desprenderse con toda dignidad y firmeza de lo que Dios ha decidido hacer morir (como ocurrió en el caso de Betsabé).

En este punto, algo muy importante a resaltar es que tal desprendimiento no tiene que darse acompañado de odio, resentimientos, ira, ni rencor; pero si debe darse con el claro entendimiento de que Dios tiene el control de lo que pasa, y se encargará de ayudar a superar esto, a cada mujer que tenga que enfrentarlo. Porque para cada golpe que nos trae la vida, hay un nivel de gracia especial que viene del Señor, con el fin de ayudarnos a rebasarlo.

Luego de haber muerto el niño, David se levantó del suelo, se bañó, se perfumó, se vistió y fue a adorar a la casa del Señor, pero Betsabé seguía de luto. Algo que por supuesto era normal debido a que era la madre del niño, y porque además debió sentir el peso de la culpa por lo que había acontecido; así que esta situación debió ser excesivamente difícil de soportar para ella. A tal punto, que incluso pudo llegar a sentir que por causa de esto, su vida había llegado a su fin.

Pero no paso igual con David, porque como ya dijimos los hombres tienen otro modo de manejar este tipo de problemas. Algo que podemos observar incluso cuando ellos de algún modo hieren o afectan las emociones de una mujer, ya sea por un acto de adulterio, porque la esposa haya descubierto que tuvo un hijo fuera del matrimonio o porque de algún otro modo le haya hecho algo que a ella le haya afectado, la respuesta de un hombre luego de haber pedido perdón (independientemente de que lo haya hecho de forma sincera o no) es: «Ya olvídate de eso. No lo sigas mencionando más». Algo que para las mujeres suele ser cruel, porque tienen la tendencia de aferrarse al dolor, pero para los hombres es fácil, porque ese es el modo como «generalmente» lo manejan ellos.

Y a ti, ¿Te ha tocado ver a un hombre, que haya estado envuelto contigo en alguna situación de crisis, comportarse como que no le importa nada, mientras tu sientes que todo se te cae encima? Si es así, aprende de ellos;

> No podrás moverte al próximo nivel que Dios tiene preparado para ti, hasta que no te despidas de lo que ya Él, decidió sacar de ti.

bájale la intensidad al asunto y supéralo. Ahora bien, aquí puedes por un momento pensar, ¡Oh sí, pero que fácil después de todo lo que me hizo! Causa por la que quiero aclarar que en ningún modo pretendo insinuar que esto sea algo fácil, pero si con toda firmeza te puedo asegurar que, castigándote continuamente con lo mismo, harás que el asunto para ti se vuelva mucho más difícil de soportar.

La capacidad de David de aceptar lo que Dios había determinado, no solo se limita al hecho de que pudo bañarse, comer, y vestirse después del fallecimiento del niño, sino que la mayoría de teólogos concuerdan que fue en ese momento donde David escribió el salmo que dice: *«Yo me alegré con los que me decían a la casa de Jehová iremos».* (Salmos 122)

Así que David cantaba y se alegraba, pero Betsabé seguía de duelo.

Y tú, ¿Sigues de duelo por algo que ya debiste haber superado? ¿Sigues ligada a algo de lo que ya el Señor ha decidido desprender de ti?

En ocasiones la persona que se fue no te rechaza porque quiere, sino porque ya Dios decidió sacarla de ti.

De ser así, debes reenfocarte, ponerte en pie, comer, bañarte y entonar una adoración al Señor. Porque no podrás moverte al próximo nivel que Dios tiene preparado para ti, hasta que no te despidas de lo que ya Él, decidió sacar de ti.

Así que, no supliques amor ni te dispongas a seguir siendo rechazada por alguien a quien solo debes proceder a enterrar. Porque en ocasiones la persona que se fue, no te rechaza porque quiere sino porque ya Dios decidió sacarla de ti. Por lo que si esa persona no quiere nada contigo, tu tampoco debes querer nada con ella. Despídete de eso, sigue adelante, no te mantengas atrapada dentro de esa situación, sacúdete el polvo y vuelve a reenfocarte. Arréglate lo mejor que puedas, muestra la mejor versión de ti y no te empeñes en mantener vivo, aquello que ya Dios determinó hacer morir.

Pero, ¿Cómo podemos superar las cosas que tanto dolor nos han causado? La Biblia dice que luego de haber estado en la presencia del Señor, David fue y consoló a Betsabe, término que según el idioma hebreo se traduce como alentar, calmar y hacer pensar. Pero, ¿Cuál fue la estrategia empleada por el rey David para hacer cambiar de parecer a Betsabé en medio de esta terrible aflicción? David, la llevó a entender que a pesar de la tragedia vivida, algo nuevo podía salir de ella.

> A veces nuestras mayores victorias surgen de nuestras más grandes equivocaciones.

Así que luego de arrepentirse, vemos como no solo Dios les permitió volver a concebir, sino que del mismo vientre de la vergüenza, se dispuso hacer nacer al rey Salomón, el más sabio de todos los reyes de la tierra y a través del cual se sostuvo la descendencia que trajo como fruto el nacimiento de nuestro Señor Jesucristo. (Ver Mateo 1:6).

Lo que resulta ser muy relevante, porque en ningún modo podemos decir que Dios usó a la que era mujer de Urías para traer a Salomón, porque no halló a quien más usar para este propósito. Porque Él pudo haber usado a Abigail, a Mical o cualquiera de las cientos de concubinas que tuvo David, para ese fin. Pero aun teniendo todas estas opciones, decidió usar a la mujer del error, a la que en un tiempo había pasado por una fuerte crisis que había traído muerte a algo que ella amaba, para más adelante proceder a dar vida a lo que aún en su vientre ella llevaba.

¡Que maravilloso es ver como Dios puede sacar gloria aun de nuestros errores, cuando reconocemos nuestros pecados y nos humillamos delante de Él! Ya que, de forma inmediata se dispone a perdonar nuestras fallas, y hacer que esos errores, lejos de destruirnos sirvan para hacernos más fuertes, sabias y firmes de lo que éramos, antes de cometerlos. De hecho, a veces nuestras mayores victorias surgen de nuestras más grandes equivocaciones. Por lo que en vez de creer que todo está perdido cuando cometes algún error, humíllate delante del Señor, sacúdete el polvo y sigue hacia adelante. Porque Dios es experto tomando nuestros errores y transformándolos en testimonios.

Por otro lado, no podemos dejar de mencionar el hecho de que posiblemente a causa de su pasado, Betsabé haya sido señalada por las demás esposas de David, por alguna de sus concu-

> La misma mujer del error en un capítulo, puede convertirse en la mujer de la honra en el próximo.

binas o por cualquier otra persona de las que estaba a su alrededor, quienes posiblemente no hacían mayores esfuerzos por ocultar sus señalamientos, pero el hecho de que fuera ella a quien el Señor haya usado para ser una de las únicas cuatro mujeres mencionadas en la genealogía de Cristo, nos demuestra que Betsabe se volvió resistente a las murmuraciones, acusaciones y todas las demás confrontaciones que pudieron haberle hecho por causa de su error. Por lo que si tú, al igual que ella:

Estas siendo cuestionada por causa de alguna pérdida... ¡Vuélvete resistente!

Si estas siendo parte de algún escándalo... ¡Vuélvete resistente!

Si estas siendo rechazada por causa de algún error... ¡Vuélvete resistente!

Aunque te subestimen y sólo se encarguen de hablar mal de ti... ¡Vuélvete resistente!

Aunque te lancen indirectas y volteen los ojos frente a tu misma cara... ¡Vuélvete resistente!

Ignora todo lo que tenga la intención de herirte y enfócate en dar a luz, al rey que llevas en el vientre. Porque, aunque muchos esperan que esa situación marque el final de tu existir, ellos ignoran que esto sólo fue parte de un capítulo de tu vida, y que la misma mujer del error en un capítulo, puede convertirse en la mujer de la honra en el próximo.

Así que, aunque hayas pasado por un divorcio, aunque te hayan quitado el puesto o el cargo que tenías y aunque tu reputación se haya visto afectada por causa de alguna falla o caída, esto es solo parte de un mal capítulo, pero tu historia no termina aquí.

«Porque he aquí que yo hago cosa nueva; pronto saldrá a luz...» Isaías 43:19 (RVR 1960).

Satanás, siempre buscará la forma de hacer que pienses que tu situación adversa representa tu final, pero no le creas, porque si el fin de Betsabé hubiese venido por causa de su crisis, ella hubiese muerto juntamente con el niño. Pero contrario a esto se mantuvo viva porque algo mayor al error que había cometido, Dios tenía planeado hacer con ella todavía.

De modo que si tú como ella, eres una sobreviviente y aun luego de todas las cosas terribles que te han pasado sigues de pie, es porque a pesar del error que cometiste y por encima de cualquier pérdida que hayas tenido, el Señor aún no ha terminado su plan contigo y si El aún no lo ha terminado, tampoco puedes proceder a terminarlo tú.

Así que, en este mismo día sécate las lágrimas, recobra fuerzas y haz que el proceso, en vez de arruinarte sea usado por el Señor para sacar al «rey» que llevas dentro.

«*Porque este es el tiempo que Dios eligió para darnos salvación, para consolar a los tristes, para cambiar su derrota en victoria, y su tristeza en un canto de alabanza. Entonces los llamarán: Robles victoriosos, plantados por Dios para manifestar su poder*». Isaías 61:2-3 (TLA).

Principios del Capítulo

1. A veces tanto nosotras como nuestras familias, nos equivocamos y cometemos errores cuyas secuelas tendremos que aprender a enfrentar, porque no tenemos forma de hacer que retroceda el tiempo, para poder enmendar.

2. Las escrituras son fieles en declararnos las faltas, incluso de las personas a las que más aplaude; con el fin de que a través de las vivencias de ellos, nosotros también podamos ser edificados.

3. Siempre que nos hallamos fuera del camino de nuestro deber, somos visitados por un huésped llamado «tentación» cuya forma de introducirse es haciéndonos poner la vista en cosas que más adelante, terminamos lamentando haber mirado.

4. Los hombres no permanecen casados en el «espíritu» con una mujer que ya hizo su vida con otro hombre. Porque cuando se trata de ellos, si nada sucede en la «carne», nada tampoco sucede en el «espíritu».

5. Resulta ser algo injusto y totalmente fuera de los planes del Señor, que una mujer se mantenga aferrada a algo que ya Él decidió quitarle, que siga

atada emocionalmente a algo que ya Él decidió llevarse, y que pase años esperando el retorno de algo que Dios, ha determinado que no regresará.

6. La respuesta sobre si debes seguir esperando o si debes desligarte por completo de alguien que ya no está, debes buscarla en oración a los pies del Señor, para que puedas proceder bajo las directrices de su perfecta voluntad para ti, en tu situación específica.

7. El deber de toda mujer que le cree Dios, es aferrarse con todas sus fuerzas a lo que Él prometió que resucitaría (tal como lo hizo la sunamita) pero desprenderse con toda dignidad y firmeza de lo que Él ha decido hacer morir (como ocurrió en el caso de Betsabé).

8. No supliques amor ni te dispongas a seguir siendo rechazada por alguien a quien solo debes proceder a enterrar. Porque en ocasiones la persona que se fue, no te rechaza porque quiere sino porque ya Dios decidió sacarla de ti.

El Ministerio de la Mujer

¿Prohibido por Dios o rechazado por los hombres?

*U*no de los temas bíblicos más debatidos en los últimos tiempos, es el rol de la mujer dentro del ministerio, el que a pesar de haber sido tratado también en otras épocas, en la actualidad ha resurgido con mucha más fuerza. Trayendo un sin número de confrontaciones entre los que están a favor y los que están en contra del ejercicio ministerial de la mujer, pero además dejando gran confusión en muchas mujeres que se preguntan: ¿Será verdad que no puedo ejercer mi ministerio?, y de no ser así, ¿Hasta qué punto puedo trabajar en la obra del Señor?.

Así que con la intención de dar luz acerca de este aparente «dilema» procederemos a explorar sus principales implicaciones. Pero no con el fin de contradecir o tergiversar de modo alguno lo que ya ha sido establecido por Dios, sino con la sana intención de ver a la luz de Su Palabra, cual es la verdadera instrucción que la Biblia nos da, en cuanto a esto.

> Lo que fue dicho por Dios acerca del hombre en el principio, también hacía referencia directa a la mujer.

Por lo que, con el fin de establecer el debido fundamento, antes de ir directo al tema, es importante recordar que cuando Dios creo al «hombre» en el principio, aunque la mujer aún no había sido revelada, ya se encontraba dentro del hombre desde el mismo momento en que éste, fue creado. Por tanto, lo que fue dicho por Dios acerca del hombre en el principio, también hacía referencia directa a la mujer.

*«Y dijo Dios: «**Hagamos al ser humano** a nuestra imagen y semejanza. **Para que tenga dominio** sobre los peces del mar, y sobre las aves del cielo; sobre los animales domésticos, sobre los animales salvajes, y sobre todos los reptiles que se arrastran por el suelo». Y Dios creó al ser humano a su imagen; lo creó a imagen de Dios. **Hombre y mujer los creó»**.* Génesis 1:26-27 (NVI).

Pero, observemos lo que también se nos dice más adelante… *«El día en que creó Dios al hombre, a semejanza de Dios lo hizo. Varón y hembra los creó; y los bendijo, y llamó el nombre de ellos Adán».* Génesis 5:1-2 (RVR 1960).

Así que, aunque la manifestación de la mujer tuvo lugar en Génesis 2:22 donde nos dice:

> Para revelar a la mujer, Dios no tuvo que volver a tomar del polvo de la tierra, sino que tomó una parte del hombre que ya había creado.

«Y de la costilla que Jehová Dios tomó del hombre, hizo una mujer, y la trajo al hombre».

Su creación, tuvo lugar juntamente con la creación del hombre en Génesis 1:27 donde se nos revela:

*«Y Dios creó al **ser humano** a su imagen; lo creó a imagen de Dios. **Hombre y mujer los creó».** (NVI)*

En estos pasajes queda claramente establecido que la creación del hombre en el principio, hace referencia a toda la raza humana, aunque para entonces esta solo se hallaba contenida dentro de un solo cuerpo, que era el de Adán.

Por lo que la expresión «hagamos al hombre para que señoree» no hace solo referencia a Adán, sino también a Eva, quien ya estaba contenida dentro de él.

Por eso para revelar a la mujer, Dios no tuvo que volver a tomar del polvo de la tierra, sino que tomó una parte del hombre que ya había creado. De hecho, la traducción hebrea utilizada para el término «hagamos», usado en Génesis 1:26 aludiendo a la creación del hombre, es «asa» y se traduce como «edificar». Mientras que la palabra hebrea utilizada en Génesis 1:22 haciendo referencia a la hechura de la mujer, es «bana» y se traduce como «reedificar».

Pero, ¿Cuál es la implicación de esto? Edificar es: Fundar o establecer una entidad. Mientras que reedificar es: Rehacer en base a lo que estaba hecho.

Así que, al hacer la mujer, Dios no la calificó como un ser inferior al hombre, sino que la posicionó como su compañera y complemento.

Pero siendo esto comprobado bíblicamente, ¿De dónde entonces provienen los pasajes hallados en dos de las cartas de Pablo, acerca del ministerio de la mujer?

Con el fin de presentar la debida respuesta al respecto, procedamos a considerar el contenido implicado en estos textos.

Considerando los textos (Primera Parte)

«Las mujeres deben guardar silencio durante las reuniones de la iglesia. No es apropiado que hablen. Deben ser sumisas, tal como dice la ley. Si tienen preguntas, que le pregunten a su marido en casa, porque no es apropiado que las mujeres hablen en las reuniones de la iglesia». 1 Corintios 14:34 (NTV).

Las cartas de Pablo a la iglesia de Corinto, contienen algunos de los pasajes más conocidos y apreciados por los cristianos de todos los tiempos, como el himno al Amor, la institución de la Santa Cena y la exposición de la Resurrección. Pero algunos de nosotros no podemos negar que a veces tenemos dificultad para seguir el hilo de estas cartas, porque nos parece que se entremezclan los temas y nos hace percibir el profundo sentir del corazón de Pablo, tanto por la gloria como por los problemas de aquella iglesia, que fue probablemente la que más dolores de cabeza le dio al apóstol; algo que no podemos dejar de considerar, si verdaderamente queremos tener la interpretación correcta del texto antes mencionado.

Por ejemplo, en su primera carta a los corintios, Pablo menciona una serie de asuntos con respecto a los cuales, esta iglesia le había escrito. Y antes de responder a sus interrogantes, el apóstol primero hace referencia a lo que le escribieron o le preguntaron ellos anteriormente, para entonces proceder a presentar su respuesta. Este patrón de mencionar primero lo que le habían escrito, para luego emitir una respuesta, comienza en el capítulo siete y continua hasta el capítulo catorce de esta carta.

Dejando saber a los lectores que tratará uno por uno, todos los asuntos acerca de los cuales ellos le escribieron, y el primero a ser señalado era la apreciación propia que la iglesia tenia acerca de las relaciones conyugales, hasta el punto de considerar posible establecer como norma, la abstinencia del acto.

Así que, con el fin de dar respuesta a esta posición de la iglesia, Pablo primero repite textualmente la afirmación de ellos, tal como se la habían escrito.

«*Ahora les hablaré sobre los asuntos que me escribieron. **Me preguntaron** si sería mejor que el hombre y la mujer no tuvieran relaciones sexuales. (Con referencia a esto les diré) que esto es bueno, pero para evitar el pecado sexual, es mejor que cada hombre tenga su propia esposa, y que cada mujer tenga su propio esposo*». 1 Corintios 7:1-2 (PDT).

Como claramente podemos ver en este pasaje, al Pablo decir: «que sería mejor que el hombre y la mujer no tuvieran relaciones sexuales» él solo se estaba refiriendo a lo que ellos le habían dicho antes, y aunque reconoció que la abstinencia, (de ser posible) sería buena para fines de consagración, ese nivel de consagración corresponde a un llamado especial de Dios, y no se aplica a todos los hombres. (Ver Mat. 19:12).

Por lo que la respuesta de Pablo, a esta afirmación de los corintios fue: «*Con referencia a lo que me escribieron les diré que, por causa de las fornicaciones, cada uno tenga su mujer, y cada una tenga su marido*».

Si dejamos pasar por alto el diálogo que ocurre en esta carta, y que se mantiene durante todo el desarrollo de la misma, se puede concluir que Pablo requería que los cristianos vivieran una vida de celibato. Lo que de ser así, lo propuesto por los Corintios, hubiese sido aceptado por el apóstol, sin ningún tipo de salvedades, y fuera además usado para predicarse como norma de vida, en todos los púlpitos de las iglesias.

Pero hablando en términos generales, Dios tiene como diseño que el hombre se case, porque el matrimonio fue instituido por Él mismo. Así que en resumidas

> Mientras que el conocimiento nos hace sentir importantes, es el amor lo que fortalece a la iglesia.

palabras, Pablo dijo: «(Aunque reconocemos que existen aquellos con un llamado especial de separación) a causa de las fornicaciones, cada uno tenga su mujer, y cada una tenga su marido».

Una vez dada esta respuesta, el apóstol se ocupó de otras áreas en las que la Iglesia también necesitaba dirección, y el siguiente asunto acerca del cual la iglesia le había escrito, lo encontramos en el capítulo ocho.

*«Ahora, **con respecto a la pregunta acerca de la comida que ha sido ofrecida a ídolos,** es cierto, sabemos que «todos tenemos conocimiento» sobre este tema. Sin embargo, mientras que el conocimiento nos hace sentir importantes, es el amor lo que fortalece a la iglesia.»* 1 Corintios 8:1 (NTV).

El asunto de las comidas ofrecidas a los ídolos era un tema en cuestión para los corintios a la luz de su libertad cristiana, al que para Pablo referirse, volvió a repetir el punto que ellos antes le habían mencionado.

Más adelante, en el capítulo 10 el apóstol mantiene la misma línea de aclaración al decir *«Porque no quiero, hermanos, que ignoréis que nuestros padres todos estuvieron bajo la nube, y todos pasaron el mar»*... Amonestando a la iglesia acerca de la idolatría.

Mientras que en el capítulo 11 les instruye acerca de la forma como deben ataviarse las mujeres y el modo como debe tomarse la Santa Cena; en el 12 habla acerca del uso de los dones espirituales, y para dar continuidad a la carta, hace una magistral exposición acerca del amor en el capítulo 13.

En el capítulo 14 añade instrucciones adicionales acerca de los dones espirituales, enfocándose especialmente en el don de Profecía. En este punto resulta interesante considerar, que cuando el apóstol instruyó a la iglesia en cuanto a los dones del Espíritu, él dijo que «todos» tanto hombres como mujeres pueden profetizar para que así «todos» hombres y mujeres, puedan aprender y ser consolados.

«De esta manera todos, cada uno en su turno correspondiente, podrán comunicar mensajes proféticos, para que todos aprendan y se animen». 1 Corintios 14:31 (DHH).

Así que, la instrucción que da aquí el apóstol Pablo, contradice en forma directa lo registrado en los versos 34-35 al decir:

«Vuestras mujeres callen en las congregaciones; porque no les es permitido hablar, sino que estén sujetas, como también la ley lo dice. Y si quieren aprender algo, pregunten

*en casa a sus maridos; porque es indecoroso que una mujer
hable en la congregación».*

Enunciado que no se trató de una afirmación por parte
de Pablo, sino que como ya vimos, él solo lo mencionó
como algo que ellos le habían dicho antes, para entonces
emitir su respuesta. La que, por supuesto debía ser coherente con lo que en el mismo capítulo, él había expuesto
diciendo:

¡Todos pueden profetizar!
¡Todos pueden aprender en la iglesia!
¡Todos pueden ser consolados en la iglesia!

Pablo era un hombre extremadamente educado, él hablaba hebreo y griego con fluidez y era lo suficientemente
inteligente como para distinguir la palabra «todos» de la
palabra «algunos» o para simplemente emitir un enunciado que diga: «Ustedes hombres pueden profetizar».

De acuerdo con la Concordancia de Strong, en el griego
la palabra «todo» hace referencia a cualquier alusión del
«todo», lo que incluye todas las formas de inclinación y
todas las formas de medios, porque según esta raíz gra-
matical, «todo» hace referencia a lo absoluto de algo. En
este caso, el término alude al «todo» de la iglesia, compuesta por hombres y también por mujeres.

En otras palabras, si Pablo hubiera querido limitar el don público de la Profecía solo a los hombres, él lo habría hecho. Sin embargo, contrario a esto, luego de mencionar lo que ellos le habían dicho, tal como lo había hecho en los capítulos anteriores, el procede a dar su respuesta.

Y por supuesto, cuando una persona está escribiendo en modo continuo, no tiene que elaborar un prólogo en base a lo dicho previamente. Así que como Pablo había dejado claro que en cada punto a tratar hacía referencia a lo que ellos le habían mencionado antes, al abordar el tema en el versículo 34, lo que básicamente Pablo dice, es lo siguiente: «Ahora, esto es lo que ustedes me dijeron: *Vuestras mujeres callen en las congregaciones; porque no les es permitido hablar, sino que estén sujetas, como también la ley dice. Y si quieren aprender alguna cosa, pregunten en casa a sus maridos; porque deshonesta cosa es hablar una mujer en la congregación*» (**posición de los corintos**) a la que Pablo responde:

«Qué, ¿ha salido de vosotros la palabra de Dios? ¿O a vosotros solos ha llegado? Si alguno a su parecer, es profeta, o espiritual, reconozca lo que os escribo, porque son mandamientos del Señor. Más el que ignora, ignore. Así que hermanos, procurad profetizar; y no impidáis el hablar lenguas». I Corintios 14:34-39.

En este punto debemos resaltar que no es posible que el apóstol Pablo en el versículo 31, dijera a los corintios que todos pueden profetizar, y luego, en los versículos 34 y 35, ordene que las mujeres guarden silencio en la iglesia porque sería una contradicción ilógica dentro del mismo texto.

Así que nuevamente el apóstol Pablo hizo referencia a lo citado por los corintios.

Algo que, en el caso de algunos escritores que escriben en forma diferente, se podría argumentar que pareciera que se contradicen, porque olvidaron lo expuesto anteriormente o porque cambiaron su forma de pensar como resultado de las circunstancias o de la presión social, pero aquí Pablo está escribiendo todas sus respuestas en una sola carta, dirigida a la misma iglesia, dentro de un mismo contexto.

Y en cuanto a la afirmación absurda de parte de los corintios acerca de la ministración de las mujeres en la iglesia, Pablo respondió con dos preguntas pertinentes:

1. *¿Salió de ustedes la Palabra de Dios?*
2. *¿Vino (la Palabra) a ustedes únicamente?*

Es decir, que en vez de aprobar la postura de ellos concerniente al ministerio de la mujer en la iglesia, los cuestionó con lo siguiente: ¿Qué están diciendo? ¿La Palabra Santa y sin prejuicios de Dios salió de ustedes? ¿Acaso están diciendo que ustedes son la causa y la fuente de la Palabra de Dios?.

Pero además de reprender el orgullo y la arrogancia de estos hombres mal informados, Pablo le dijo que si ellos se consideraban como profetas y espirituales, entonces debían aceptar lo que él había escrito como mandato del Señor su Amo, y no de él como hombre.

De no ser aceptadas estas interrogantes como respuesta a la prohibición anterior presentada por los corintios, entonces Pablo estaría haciendo una inferencia en el texto, que no se ajusta al argumento. De hecho, observemos el modo como lo expresa la versión (BLPH): «*¿Acaso la palabra de Dios salió de ustedes, o sólo a ustedes ha llegado?*».

Otro elemento importante, que sirve como evidencia adicional de que Pablo sólo estaba repitiendo la afirmación de ellos, es que ni en el Antiguo ni en el Nuevo Testamento, existe ninguna ley que ordene que las mujeres guarden silencio en la Iglesia. Por lo que evidentemente, la «ley» mencionada aquí no era la ley Tora, establecida por Dios para el pueblo, la cual se compone de los primeros cinco libros del Antiguo Testamento, escritos por Moisés. Porque si así fuera tendríamos evidencia bíblica acerca de esto.

> Para estar bien cimentado, es fundamental mantener un equilibrio entre el mover del Espíritu y el manejo de la Palabra.

La iglesia de Corinto había sido provista con los dones del Espíritu, pero a pesar de esto eran «bebés» espirituales en cuanto al entendimiento, por lo que se trataba de una iglesia con terribles problemas de confusión entre costumbres paganas, doctrinas humanas y Ley de Dios.

Lo que pone en evidencia, que aunque los dones estén presentes en una iglesia, existe la necesidad de contar con un liderazgo maduro entre los que hayan alcanzado el crecimiento y entendimiento real en la Palabra de Dios. Porque para estar bien cimentado, es fundamental mantener un equilibrio entre el mover del Espíritu y el manejo de la Palabra.

Considerando los textos (Segunda Parte)

«Porque no permito a la mujer enseñar, ni ejercer dominio sobre el hombre, sino estar en silencio». 1 Timoteo 2:12 (RVR 1960).

Antes de proceder a explicar este pasaje, con el fin de establecer el debido fundamento, es importante que hagamos memoria de lo que vimos al inicio de este capítulo con referencia a la creación del hombre, de que Dios, al momento de crear al hombre «varón y hembra los creó» y los unió en una sola carne. (Ver Génesis 1:27) Y aunque Adán fue el primero en ser revelado (causa por la que, según el orden de Dios, le compete ir delante en orden jerárquico) a ambos les fue dado el dominio sobre todas las criaturas vivientes. Del mismo modo que después de pecar, el juicio cayó sobre ambos.

Siendo parte del castigo por el pecado de la mujer, que el hombre se enseñorearía de ella «...*Y a tu marido será tu deseo, y él se enseñoreará de ti».* (Génesis 3:16).

Enunciado que es, y seguirá siendo parte del orden que Dios ha establecido para el hogar, pero que ha sido reformado con base a la dirección de Jesucristo: Porque *«El marido es cabeza de la mujer, así como Cristo es cabeza de la iglesia; la cual es su cuerpo y él es su Salvador».* Efesios 5:23 (RVR 1960).

En este punto, no podemos obviar el hecho de que la soberanía del varón fue establecida como parte de la relación de esposo y esposa en el hogar, y no en la iglesia. Porque ningún varón ha sido nunca hecho cabeza de la Iglesia, sino que esta posición le corresponde únicamente a Cristo.

«Mas quiero que sepáis, que Cristo es la cabeza de todo varón; y el varón es la cabeza de la mujer; y Dios la cabeza de Cristo». I Corintios 11:3 (RVR 1960).

En esta porción de las Escrituras, la instrucción del apóstol Pablo, otra vez hace referencia al orden de Dios para el hogar y no al ordenamiento de los ministerios dentro de la iglesia.

> Ningún varón ha sido nunca hecho cabeza de la Iglesia, sino que esta posición le corresponde únicamente a Cristo.

Dejando claro una vez más, que la cabeza de la mujer es el varón, pero la cabeza de todo varón debe ser Cristo.

Por lo que, el esposo tiene una inmensa responsabilidad, que es la de rendir su propia cabeza (mente, voluntad, gobierno) y dejarse guiar por la Soberanía de Jesucristo, porque no debe tener el gobierno de dos poderes: «el de su propia mente carnal y el de la Soberanía Espiritual», sino que tiene que elegir entre su propia cabeza o la de Cristo, y es al dejarse guiar por Jesucristo, que éste se constituye en la cabeza idónea para traer instrucción a su esposa y a su hogar.

Por lo que, según el orden de Dios para el hogar, la mujer no tiene «cabeza» propia, sino que debe estar unida al varón, quien es su cabeza. Pero esto no hace referencia al gobierno de una cabeza carnal, sino a la

> Nunca habrá unidad y paz verdadera en el hogar, mientras existan dos cabezas, dos mentes y dos voluntades tratando de gobernar y dirigir.

dirección de un hombre que, a su vez este guiado por Cristo, de quien cuya cabeza es Dios.

Nunca habrá unidad y paz verdadera en el hogar, mientras existan dos cabezas, dos mentes y dos voluntades tratando de gobernar y dirigir.

Entonces, así como la esposa debe estar sujeta a su cabeza que es su esposo, él a su vez debe estar sujeto a su cabeza que es Cristo. De esta forma, la Soberanía de Cristo estará en control, y este tipo de hogar cristiano será dominado por la unidad, armonía y paz de Dios.

Dicho esto, pasemos a observar con detenimiento lo expuesto por el Apóstol Pablo, al hablar a su discípulo Timoteo, y con el fin de ser más precisos, haremos uso del significado en el idioma griego, en los términos relevantes de este pasaje.

> La dirección del esposo, siempre que sea direccionada por el Señor, producirá una actitud sosegada en su esposa para recibir de él, todo lo que le imparta.

La mujer, que según la traducción griega en este pasaje, es «gune» y se traduce como «casada o esposa» aprenda en silencio, con toda sujeción. Porque no permito a la mujer («gune»: casada o esposa) enseñar, ni tomar autoridad sobre el hombre que según la traducción griega en este pasaje es «aner» y se traduce como «esposo o marido». (I Timoteo 2:11-12).

Como podemos notar, la traducción de los términos «hombre y mujer» según el griego, nos confirma que esta indicación hace referencia exclusiva al diseño de Dios para el hogar, y no a la ministración de la mujer en la iglesia.

Dios ha depositado la responsabilidad de la dirección en el hogar sobre el varón «esposo o marido». Pero como ya dijimos, él primero debe dejarse guiar por la dirección de Cristo, para desempeñar la función de cabeza de su esposa, tal como ha sido establecido por el Señor. Y la dirección del esposo, siempre que sea direccionada por el Señor, producirá una actitud sosegada en su esposa para recibir de él, todo lo que le imparta.

Dicho esto, prosigamos con el siguiente punto referido en este pasaje.

«Porque no está permitido que la mujer (esposa) enseñe ni tome autoridad sobre el hombre (esposo) **sino estar en silencio».** (Ver. 12).

El termino «silencio» según el idioma original es «jesujia» y se traduce como «sosegadamente».

La palabra sosegadamente, significa libre de pensamientos y sentimientos rebeldes. Por lo que jamás debe discutirse el hecho de que la esposa debe aprender con un espíritu apacible y estar en sujeción hacia su esposo, quien es su cabeza.

Sin embargo, solamente existe un hombre a quien Dios ha puesto sobre la mujer, y a quien ella debe someterse,

> Solamente existe un hombre a quien Dios ha puesto sobre la mujer, y a quien ella debe someterse, y se trata de su esposo.

y se trata de su esposo; de quien ella no debe usurpar la autoridad, sino que debe sujetarse a él en el hogar y aprender de él con apacibilidad lo que, a él le es revelado por causa de tener a Cristo como su propia cabeza. Y es deber de las esposas orar cada día, para que sus esposos asuman esta posición en su relación con Cristo. Porque para muchos de ellos no es cosa sencilla entregar su voluntad y sus ideas propias para someterse a la dirección del Señor.

Las parejas cimentadas en valores cristianos deben dejar a un lado sus propias soberanías carnales e implementar del modo apropiado el orden establecido por Dios para el hogar, a través de la dirección de Cristo, que debe ser manifestada por medio de la dirección del varón. Porque no habría conflictos si el orden de cada hogar procediera directamente de la dirección del Señor.

Ahora bien, como mencionamos antes, el señorío carnal y natural del hombre era parte de la maldición del pecado para la mujer, pero ese cuadro fue cambiado luego del sacrificio de Jesucristo. Porque en la cruz del calvario, Él nos redimió de la maldición de la ley, y pago por nuestros pecados siendo hecho maldición por nosotros. (Ver Gálatas 3:13)

Así que los hijos de Dios ya no se encuentran bajo maldición, sino que han sido redimidos y liberados a través del sacrificio del Señor.

Por otro lado, debemos notar que los versículos que siguen en lo adelante confirman que la instrucción dada por Pablo a Timoteo, se aplica exclusivamente a la relación del hombre y la mujer en el hogar.

«Pero se salvará engendrando hijos, si permaneciere en fe, amor y santificación con modestia». (1 Timoteo 2:15).

Si insistimos en confinar esta declaración dentro del contexto de la Iglesia, entonces decimos que la salvación de la mujer dependería de su capacidad para engendrar hijos. Es decir que, el único ser capaz de ser salvo por acción propia y no por los méritos de Cristo, sería la mujer «se salvará engendrando hijos», lo que resulta

> Los hijos de Dios ya no se encuentran bajo maldición, sino que han sido redimidos y liberados a través del sacrificio del Señor.

ser una explicación inaceptable según toda la revelación de las Sagradas Escrituras.

Pero entonces, ¿Por qué dijo esto el apóstol Pablo? Aquí, el apóstol sin duda se refirió a la transgresión de Eva, trayendo a memoria el castigo que ella recibió luego de haber pecado. *«A la mujer dijo: Multiplicaré en gran manera los dolores de tus preñeces; con dolor parirás los hijos».* (Ver Génesis 3:16)

Por tanto, cuando estudiamos la Palabra del Señor y la entendemos dentro de su contexto, no encontramos ninguna contradicción en las enseñanzas que ella contiene. Por lo que, como hemos podido apreciar a través de estos pasajes bíblicos, las mujeres pueden ministrar la Palabra en la Iglesia, pero según el orden establecido por Dios, las casadas deben dejarse guiar por sus esposos y aprender de ellos en el hogar, siempre que ellos sean guiados por quien debe ser su cabeza, que es Jesucristo.

Dicho esto, es de orden aclarar que para la consideración que hemos hecho de este tema, tomamos en cuenta dos importantes reglas de la Hermenéutica, que son las siguientes:

1. **La Biblia es su propio intérprete.**

2. **Para considerar un punto bíblico como doctrina, debe ser avalado por al menos tres versículos bíblicos.**

Por lo que, en caso de considerarse el impedimento del ejercicio ministerial de la mujer como doctrina, por ser solo dos los versículos que aluden al tema, (según la Hermenéutica) el mismo no cuenta con los requerimientos para ser observado como tal. Además, recordemos que la palabra de Dios no se contradice. Por lo que si realmente Dios no aprobara el ministerio de las mujeres, no tendríamos tantos casos en la Biblia que demuestran lo contrario. Observemos solo algunos de estos...

Ejemplos del Antiguo Testamento:

◈ **María la hermana de Aarón y Moisés:**
«*Y María **la profetisa**, hermana de Aarón, tomó un pandero en su mano, y todas las mujeres salieron en pos de ella con panderos y danzas.*» Éxodo 15:20 (RVR 1960).

◈ **Débora la jueza y profetisa:**
«***Gobernaba** en aquel tiempo a Israel **una mujer**, llamada Débora, **profetisa**, mujer de Lapidot*». Jueces 4:4 (RVR 1960).

◈ **Hulda la profeta:**

«*Entonces fueron el sumo sacerdote Hilcías, y Ahicam, Acbor, Safán y Asaías, a **la profetisa Hulda**, mujer de Salum… Y ella les dijo: **Así ha dicho Jehová el Dios de Israel:** Decid al varón que os envió a mí…*» 2 Reyes 22:14-15 (RVR 1960).

El ejemplo de Hulda, resulta ser especialmente interesante porque siendo Josías un rey piadoso, siendo Hilcias sumo sacerdote y siendo Jeremías un profeta contemporáneo con ella, la respuesta que tanto el rey como el pueblo necesitaban, llegó específicamente a través de esta mujer.

Ejemplos del Nuevo Testamento:

◈ **Las cuatro hijas de Felipe:**

«*Al otro día, saliendo Pablo y los que con él estábamos, fuimos a Cesarea; y entrando en casa de Felipe el evangelista, que era uno de los siete, posamos con él. **Este tenía cuatro hijas doncellas que profetizaban**». Hechos 21:8-9 (RVR 1960).

◈ **Junia la Apóstol**

«*Saluden a Andrónico y **a Junias**, judíos como yo, quienes estuvieron en la cárcel conmigo. **Ellos son muy respe-***

tados entre los apóstoles y se hicieron seguidores de Cristo antes que yo». Romanos 16:7 (NTV).

❖ **Priscila la mujer que instruyó a un hombre**
*«Llegó entonces a Éfeso un judío llamado Apolos, natural de Alejandría, varón elocuente, poderoso en las Escrituras. Este había sido instruido en el camino del Señor; y siendo de espíritu fervoroso, hablaba y enseñaba diligentemente lo concerniente al Señor, aunque solamente conocía el bautismo de Juan. Y comenzó a hablar con denuedo en la sinagoga; **pero cuando le oyeron Priscila y Aquila**, le tomaron aparte y **le expusieron más exactamente el camino de Dios».** Hechos 18:24-26 (1960 RVR).*

Una vez más haremos énfasis especial en este último ejemplo, debido a dos aspectos importantes del mismo:

1. **El orden en el que los nombres se mencionan en la Biblia, es relevante:**

Por causa de ser mencionado el nombre de Priscila primero, en todas las referencias bíblicas que se hacen acerca de esta pareja, algunos comentaristas han considerado que el trabajo

> Aunque Priscila era una mujer, instruyó a un elocuente hombre predicador como Apolos.

de ella en la obra del Señor, pudo haber sido mucho más destacado que el de su esposo.

Como ejemplo de esto, tenemos las veces que eran mencionados Pablo y Silas, ya que Pablo siempre fue nombrado primero que su acompañante, debido a la notoriedad del primer nombrado, con relación al último.

2. Priscila, tuvo parte en la instrucción:

La Biblia claramente expresa que Priscila, en compañía de su esposo, instruyó al evangelista Apolos, para que pudiera exponer de manera más excelente el mensaje de Dios. O sea que, aunque ella era una mujer, instruyó a un elocuente hombre predicador como Apolos, lo que resulta ser una evidencia más, de que lo dicho en 1 Timoteo 2:12, no hace referencia a la acción ministerial de la mujer, sino al orden divino establecido por el Señor para los esposos en sus casas.

Pero nuestra exposición acerca de este tema, no estaría completa sino resaltamos además el hecho de que ciertamente en la antigüedad, había un alto nivel de opresión y prejuicio en contra de la mujer, de tal modo que ésta, ocupaba un estrato muy inferior al hombre, en el mundo antiguo.

A tal punto, que el poeta griego Sófocles llego a decir: «El silencio confiere gracia a las mujeres». Mientras que los judíos tenían una idea aún más baja de ellas, a tal modo, que en el Talmud judío se encuentran muchos dichos que minimizan su lugar en la sociedad, como son los siguientes:

«En cuanto a enseñarle la ley a una mujer, es lo mismo que enseñarle la impiedad». «Lo mismo que echar perlas a los cerdos, es enseñar la ley a una mujer». Además de esto, según esta misma ley, estaba prohibido que un hombre hablara con una mujer en la calle o que le pidiera algún favor, aun si se trataba de su esposa o de su propia hija.

Sin embargo, nada de lo antes expuesto, está por encima de lo que establece la palabra del Señor, al decir:

«Ya no importa el ser judío o griego, esclavo o libre, hombre o mujer; porque unidos a Cristo Jesús, todos ustedes son uno solo». Gálatas 3:28 (DHH).

Sin embargo, si alguno osare en decir que este pasaje solo se aplica a la salvación, entonces estaríamos diciendo que la sangre de Cristo pudo restaurar todas las cosas a su estado original, menos a la mujer, quien aunque ciertamente sigue bajo un orden de sujeción, tal como lo dice

1 Timoteo 2:12, esa sujeción (como ya vimos) hace referencia a los asuntos de la casa, no a los de la iglesia, y la misma debe ser aplicada según el diseño que ha sido trazado de parte de Dios.

Finalmente, consideremos lo siguiente: si Dios no aprueba el ministerio de las mujeres...

¿Cómo es que éstas durante tantos años han sido, y continúan siendo usadas para traer tantas almas a los pies de Cristo?

¿Cómo pueden ser usadas para plantar y desarrollar iglesias del modo en que lo hacen?

¿Cómo se explica que a través del mensaje que sale de la boca de ellas, millones de personas sean renovadas, los cautivos sean libertados y los débiles en la fe, sean fortalecidos?

Si no es Dios, entonces ¿Quién las usa? si la Biblia claramente expresa que ningún reino divido contra sí mismo puede permanecer (Ver Lucas 11:17) y que si Jehová no edificare la casa en vano trabajan los que la edifican. (Ver Salmos 127:1).

En cuanto a nosotros respecta, entendemos que Dios no desperdicia nada, por lo que jamás le hubiera dado a la mujer dones, talentos, y habilidades que Él no estuviera dispuesto a usar, porque...

«Toda buena dádiva y todo don perfecto desciende de lo alto, del Padre de las luces, en el cual no hay mudanza, ni sombra de variación». Santiago 1:17 (RVR 1960).

Principios del Capítulo

1. La creación del hombre en el principio, hace referencia a toda la raza humana, aunque para entonces esta solo se hallaba contenida dentro de un solo cuerpo, que era el de Adán.

2. Al hacer la mujer, Dios no la calificó como un ser inferior al hombre, sino que la posicionó como su compañera y complemento.

3. Dios tiene como diseño que el hombre se case, porque el matrimonio fue instituido por Él mismo.

4. Cuando el apóstol instruyó a la iglesia en cuanto a los dones del Espíritu, él dijo que «todos» tanto hombres como mujeres pueden profetizar para que así «todos» hombres y mujeres, puedan aprender y ser consolados.

5. Aunque los dones estén presentes en una iglesia, existe la necesidad de contar con un liderazgo maduro entre los que hayan alcanzado el crecimiento y entendimiento real en la Palabra de Dios. Porque para estar bien cimentado, es fundamental mantener un equilibrio entre el mover del Espíritu y el manejo de la Palabra.

6. Según el orden de Dios para el hogar, la mujer no tiene «cabeza» propia, sino que debe estar unida al varón, quien es su cabeza. Pero esto no hace referencia al gobierno de una cabeza carnal, sino a la dirección de un hombre que, a su vez este guiado por Cristo, de quien cuya cabeza es Dios.

7. Dios ha depositado la responsabilidad de la dirección en el hogar sobre el varón «esposo o marido» pero él, primero debe dejarse guiar por la dirección de Cristo, para desempeñar la función de cabeza de su esposa, tal como ha sido establecido por el Señor.

8. Las parejas cimentadas en valores cristianos, deben dejar a un lado sus propias soberanías carnales e implementar del modo apropiado el orden establecido por Dios para el hogar.

9. Las mujeres pueden ministrar la Palabra en la Iglesia, pero según el orden establecido por Dios, las casadas deben dejarse guiar por sus esposos y aprender de ellos en el hogar, siempre que ellos sean guiados por quien debe ser su cabeza, que es Jesucristo.

10. Dios no desperdicia nada, por lo que jamás le hubiera dado a la mujer dones, talentos, y habilidades que Él no estuviera dispuesto a usar.

Palabras Finales

Finalmente, nunca olvides que ante toda situación que te acontece solo podrás tomar una de estas dos decisiones: o te dejas aplastar por ella, o la utilizas como un elemento impulsor para llevarte al destino que Dios ha señalado para ti. Por tanto, ¡decide bien!

No le des a ningún prejuicio, presión, crisis o caída, el poder de frenarte, estancarte o dañarte, porque tú no eres una víctima, sino una sobreviviente. Una mujer marcada por Dios para impactar la generación a la que le ha tocado pertenecer. **Por tanto, no dejes que nada te robe la esencia, revela tu diseño y ocupa el lugar de vencedora que te corresponde tener.**

«Porque somos hechura suya, creados en Cristo Jesús para buenas obras, las cuales Dios preparó de antemano para que anduviésemos en ellas». Efesios 2:10 (RVR 1960).

Otros libros de la autora

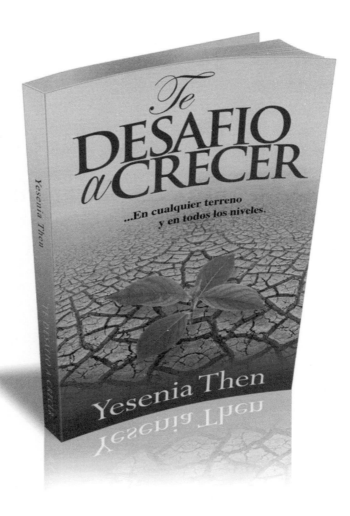

Te Desafío a Crecer

Más que un simple libro, es una herramienta de inspiración, dirección y fortalecimiento, que te hará no conformarte con menos de lo que fuiste creado para ser. El desafío está en pie, atrévete a crecer continuamente por encima de todas tus circunstancias y sin dejarte gobernar por tus dificultades.

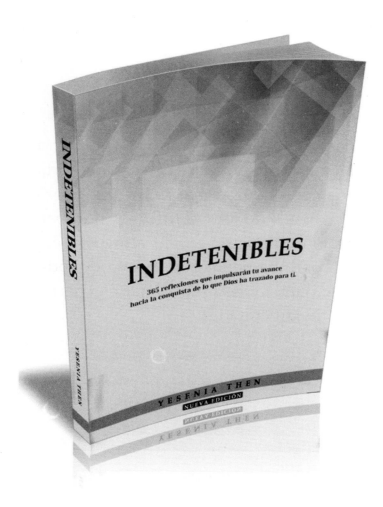

Indetenibles

365 mensajes, anécdotas e ilustraciones que impulsarán tu avance hacia la conquista de lo que Dios ha trazado para ti. Con fragmentos de lectura cargados de impacto, sabiduría e inspiración de Dios, a través de su autora, Yesenia Then. Un libro solo recomendado para aquellos que no aceptan otro diseño que no sea el que ya Dios creó para ellos y que hasta no ver cumplido ese diseño en sus vidas, han tomado la firme y obstinada decisión de ser INDETENIBLES.

Diamantes

Un libro de lectura fácil y sencilla que contiene 200 frases de activación, inspiración e instrucción de Dios, que si pones en práctica te servirán como herramienta útil para vivir de manera más sabia, efectiva y productiva el trayecto de vida que tienes delante.